Pour un jour
de plus

Du même auteur

La dernière leçon (Robert Laffont, 1998 ; Pocket, 2000)

Les cinq personnes que j'ai rencontrées là-haut (Oh ! Éditions, 2004 ; Pocket, 2006)

Mitch Albom

Pour un jour
de plus

traduit de l'anglais (États-Unis)
par Édith Soonckindt

ÉDITIONS

« Laissez-moi deviner. Vous voulez savoir pourquoi j'ai tenté de me suicider. »

Voici les premiers mots que m'a adressés Chick Benetto.

CECI EST L'HISTOIRE D'UNE FAMILLE, et, puisqu'il y a un fantôme dans le coup, pourquoi ne pas dire tout de suite qu'il s'agit d'une histoire de fantômes? De toute façon, toute famille qui se respecte vit avec ses fantômes, et les morts restent assis à nos tables bien longtemps après leur départ.

CETTE HISTOIRE-CI EN PARTICULIER appartient à Charles « Chick » Benetto. Et ce n'est pas lui le fantôme. Il était on ne peut plus vivant lorsque je l'ai rencontré un samedi matin, sur les gradins d'un terrain de baseball, vêtu d'un anorak bleu marine et mâchant un chewing-gum à la menthe. Peut-être vous souvenez-vous de l'époque où il était joueur professionnel? Parce que j'ai fait une partie de ma carrière dans le journalisme sportif, son nom m'était familier à plus d'un titre.

Avec le recul, je pense que c'est le destin qui m'a placé sur sa route. J'étais venu à Pepperville Beach pour finaliser la vente d'une petite maison qui était dans la famille depuis des années. Et, le jour de mon départ, en route vers l'aéroport, je me suis arrêté pour boire un café. Il y avait un terrain de base-ball de l'autre côté de la rue, où des enfants en tee-shirts violets armés de battes et de gros gants lançaient et renvoyaient des balles. J'avais tout mon temps. Alors, j'ai traversé.

Planté devant le filet arrière, les doigts enroulés dans le grillage de la clôture, j'ai remarqué un vieil homme qui manœuvrait une tondeuse à gazon. Il était buriné et ridé, un demi-cigare au coin des lèvres. Dès qu'il m'a vu, il a éteint sa tondeuse et m'a demandé si mon gosse était sur le terrain. Je lui ai répondu que non. Il a voulu savoir ce que je fabriquais ici. Je lui ai parlé de la maison. Puis il m'a interrogé sur ce que je faisais dans la vie et j'ai commis l'erreur − sur le moment ça m'a semblé en être une − de lui répondre aussi là-dessus.

« Écrivain, hein ? » m'a-t-il lancé en mâchouillant son cigare. Il a tendu un doigt vers une silhouette assise toute seule sur les gradins et qui nous tournait le dos. « Vous devriez aller causer à ce type. Là, vous tiendriez une *fameuse* histoire. »

J'entends ça à longueur de journée.

« Ah bon ? Et pourquoi ça ?

− Il était pro, à une époque.

− Mm-hmm.

− Je crois qu'il y a une année où il a même joué en championnat international.

9

– Mm-hmm.

– Et il a tenté de se suicider.

– Quoi ?

– Ouais. » L'homme a reniflé. « D'après ce que j'ai entendu dire, il est drôlement chanceux d'être encore en vie. Chick Benetto, qu'il s'appelle. Sa mère vivait par ici. Posey Benetto. » Il a gloussé. « C'était une sacrée bonne femme. » Il a laissé tomber son cigare, puis l'a écrasé. « Allez donc lui demander, si vous me croyez pas. »

Il est retourné à sa tondeuse. J'ai lâché le grillage. Il était rouillé et ça avait taché mes doigts.

Toute famille qui se respecte vit avec ses fantômes.

Je me suis approché des gradins.

CE QUE J'AI retranscrit ici est le récit que Charles « Chick » Benetto m'a fait de sa vie et de celle de sa mère lors de notre conversation matinale – qui a duré bien plus qu'une simple matinée, en fait –, récit auquel se sont ajoutés certaines de ses notes personnelles, des papiers, ainsi que les pages d'un journal intime que j'ai trouvé plus tard. Je les ai rassemblés en un récit plutôt nerveux, raconté avec sa voix, parce que je ne suis pas sûr que vous croiriez cette histoire si vous l'entendiez racontée par une autre voix que la sienne.

Il y a des chances pour que vous ne la croyiez pas, de toute manière.

Mais posez-vous cette question : Avez-vous jamais perdu un être cher et souhaité avoir avec lui une dernière conversation, une dernière occasion de rattraper le temps où vous pensiez que cette personne serait ici-bas pour toujours ? Si c'est le cas, alors, vous savez que vous pouvez passer une vie entière à collectionner les jours et qu'aucun d'eux ne pèsera lourd face à celui dont vous aimeriez tant profiter de nouveau.

Et que se passerait-il alors ?

I. Minuit

L'histoire de Chick

LAISSEZ-MOI DEVINER. Vous voulez savoir pourquoi j'ai tenté de me suicider.

Et vous voulez savoir comment j'y ai survécu. Pourquoi j'ai disparu. Où je suis passé pendant tout ce temps. Mais d'abord, pourquoi j'ai tenté de me suicider, c'est bien ça?

Pas de problème. On dirait que ça tracasse les gens. Qu'ils se comparent à moi. C'est comme s'il existait une ligne tracée quelque part dans le monde : si on ne la franchit pas, on ne songera jamais à se jeter du haut d'un immeuble ou à avaler une boîte de cachets; par contre, si on la franchit, alors tout est possible. Les gens croient que j'ai franchi la ligne en question. Et ils se demandent : « Est-ce que à moi ça pourrait m'arriver? »

La vérité, c'est que la ligne en question n'existe pas. Il n'y a que votre vie, comment vous la mettez sens dessus dessous et qui se trouve là au bon moment pour vous sauver la mise.

Ou qui ne s'y trouve pas.

C'EST LE RECUL qui m'a permis de détricoter la journée où ma mère est morte, il y a une dizaine d'années environ. Je n'étais pas à ses côtés dans ses derniers moments, alors que j'aurais dû. Faute d'excuse valable, j'ai menti. Ce qui n'était pas une bonne idée. Un enterrement n'est pas vraiment un endroit pour des cachotteries. Je suis resté planté près de sa tombe en essayant de me convaincre que ce n'était pas ma faute, que ce sont des choses qui arrivent ; puis ma fille de quatorze ans m'a pris la main et a chuchoté : « Je suis désolée que tu n'aies pas pu lui faire tes adieux, papa », et ça a été le coup de grâce. Je me suis écroulé. À genoux, en larmes, l'herbe mouillée tachant mon pantalon.

Après l'enterrement, je me suis tellement soûlé que j'ai sombré dans un état comateux sur le canapé. Un seul et unique jour peut suffire à faire basculer votre vie, et celui-ci semblait aspirer la mienne vers le bas avec une redoutable implacabilité. Enfant, ma mère ne me lâchait pas, entre conseils et critiques, on aurait dit une vraie mère juive. Très franchement, mon seul et unique souhait par moments était qu'elle me laisse tranquille.

Ce qu'elle a fini par faire. Elle est morte. Fini les visites et les coups de fil. Imperceptiblement je me suis alors mis à dériver, comme si on m'avait enlevé mes racines, comme si je flottais le long du petit affluent d'une grande rivière. Un copain m'avait dit autrefois que, lorsque vos parents meurent, le plus effrayant, c'est de se retrouver le prochain sur la liste. Mais pour moi, ça allait plus loin que ça. Les mères entretiennent certaines illusions à propos de leurs enfants, et l'une d'elles était que je m'aimais bien, puisqu'*elle* m'aimait bien. Quand elle est morte, cette idée est morte avec elle.

La vérité était que je ne m'aimais pas du tout. Dans ma tête j'étais toujours un jeune athlète prometteur. Sauf que je n'étais plus rien de tout cela. J'étais devenu ce vendeur entre deux âges qui avait laissé son avenir derrière lui depuis un sacré bout de temps.

Une année après son décès, j'ai fait la plus grosse boulette financière de ma vie. Je me suis laissé convaincre par une courtière en placements. Elle était jeune et belle, gaie et sûre d'elle, avec deux boutons défaits conçus pour frustrer tout homme mûr qu'elle frôlerait, à moins qu'elle ne lui parle, ce qui lui ferait inévitablement perdre ses moyens. On s'est vus trois fois pour discuter de sa proposition : deux dans son bureau et une dans un restaurant grec ; rien de déplacé, si ce n'est qu'une fois que son parfum m'avait fait tourner la tête, j'avais placé la plupart de mes économies dans des actions dénuées de toute valeur aujourd'hui. Elle a vite été « transférée » sur la côte Ouest. Et moi, j'ai dû expliquer à ma femme Catherine où était parti l'argent.

Après quoi j'ai bu encore un peu plus – à mon époque, les joueurs de base-ball buvaient –, et c'est devenu un problème qui, avec le temps, m'a valu de perdre deux boulots. Le fait d'être viré a fait que j'ai bu encore plus. Je dormais mal, me nourrissais mal. J'avais pris du poids. Et acquis la nette impression de vieillir en faisant du surplace. Quand j'ai fini par retrouver du travail, j'avais gouttes lacrymales et élixir dentaire sur moi en permanence et je devais filer régulièrement aux toilettes pour me rendre présentable. Les week-ends, je dormais jusque dans l'après-midi. Je me disputais avec Catherine pour des questions d'argent. Je me sentais très mal dans ma peau, et quand c'est le cas on est désagréable avec son entourage aussi. Avec le temps et de colères en exaspérations cumulées, mon mariage a capoté. Ma femme s'est lassée de mon auto-apitoiement, et aussi de s'inquiéter chaque fois que je conduisais en état d'ivresse. Un soir, elle m'a découvert évanoui sur le sol de la cave, la lèvre fendue et serrant un gant de base-ball contre moi.

J'ai quitté ma famille, à moins que ce ne soit elle qui m'ait quitté.

Et j'en ai encore honte, bien plus que je n'ose l'avouer.

J'ai pris un appartement. Je suis devenu méchant et distant. Mes seules fréquentations se réduisaient à mes compagnons de beuverie. Si elle avait été en vie, ma mère aurait peut-être trouvé le moyen de me parler, elle, parce qu'elle avait un réel talent pour ça ; sans prêter attention à mon auto-complaisance, elle m'aurait lancé : « Charley, voyons, qu'est-ce qui se passe ? » Mais elle n'était plus là, et c'est ça qui est terrible quand vos parents meurent, on sent qu'au lieu d'aller au combat avec du renfort, on y va tout seul.

Et c'est comme ça qu'un soir de début octobre, j'ai décidé de me suicider.

Peut-être que ça va vous étonner. Peut-être que vous allez vous dire que des hommes comme moi, qui disputent des matchs de championnat, ne peuvent pas tomber aussi bas ; parce qu'ils sont tenus par ce truc du « rêve devenu réalité » auquel se raccrocher, alors que non. Quand votre rêve devient réalité, vous vous rendez compte, finalement, que ce n'était pas vraiment ce que vous attendiez.

Et que ce n'est pas ça qui va vous sauver.

AUSSI ÉTRANGE QUE CELA PUISSE PARAÎTRE, ce qui m'a achevé, ce qui m'a fait basculer de l'autre côté, ça a été le mariage de ma fille. Elle avait vingt-deux ans, de longs cheveux raides et châtains comme sa mère, et les mêmes lèvres pulpeuses. Elle a épousé un « très chouette gars » par une belle après-midi.

Et c'est tout ce que j'en sais parce que c'est tout ce qu'elle m'en a écrit, dans une brève lettre qui m'est parvenue quelques semaines après la cérémonie.

Au vu de mon alcoolisme, de mes cris, de mon état dépressif et d'un comportement « à problèmes », j'étais apparemment devenu trop gênant pour que l'on prenne le risque de m'inviter à une réunion de famille. Au lieu de quoi j'ai reçu une lettre et deux photos glissées dans une enveloppe, l'une de ma fille et de son nouvel époux, main dans la main, debout sous un arbre; et l'autre représentant l'heureux couple en train de porter un toast.

C'est la deuxième photo qui m'a tué. C'était un de ces clichés innocents qui capturent un moment unique, les mariés riant au beau milieu d'une phrase en trinquant. C'était tellement innocent, tellement jeune, et tellement... au passé. Ça semblait railler encore plus mon absence. *Et toi, tu n'y étais pas.* Je ne le connaissais même pas, ce type, alors que mon ex-femme, oui. Et nos vieux amis aussi. *Et toi, tu n'y étais pas.* Cette fois encore, j'avais loupé un moment crucial de notre vie familiale. Et à cette occasion-là ma fillette n'allait pas me prendre la main pour me réconforter; parce qu'elle appartenait à quelqu'un d'autre à présent. De toute façon, on ne me demandait rien. On m'informait.

J'ai regardé l'enveloppe où figurait son nouveau nom de famille (*Maria Lang* et non

Maria Benetto), mais pas d'adresse (pourquoi ? craignaient-ils que je leur rende visite ?), et quelque chose a plongé tellement loin en moi que je n'ai plus été en mesure de le récupérer. Se retrouver exclu de la vie de sa fille unique vous fait la même impression qu'une porte blindée se refermant sur vous : vous avez beau taper dessus de toutes vos forces, personne ne vous entend. Et ne pas être entendu est un premier pas vers l'abandon, qui est lui-même le premier pas vers le suicide.

Et donc j'ai essayé.

Je veux dire, ce n'était pas tant : quel sens donner à tout ça ? Mais plutôt : quelle dif-férence est-ce que ça va faire ?

QUAND il est retourné à Dieu, c'était avec maladresse,
Avec ses chansons à moitié écrites, son travail à moitié accompli,
Qui sait quels chemins ses pieds bleus avaient parcourus,
Quelles collines de paix ou de douleur il avait grimpées ?

J'espère que Dieu a souri et lui a pris la main,
Puis qu'il lui a dit : « Pauvre vagabond, imbécile exalté !
Le livre de la vie est difficile à comprendre :
Pourquoi ne pouvais-tu point rester à l'étudier ? »

(un poème de Charles Hanson Towne, trouvé dans un carnet parmi les effets personnels de Chick Benetto)

Chick essaye de tirer un trait

LA LETTRE DE MA FILLE est arrivée un vendredi, ce qui était pratique puisque ça me permettait de m'enivrer tout le week-end, ce dont je ne garde pas grand souvenir. Lundi matin, en dépit d'une bonne douche froide, je suis arrivé au travail avec deux heures de retard. Une fois au bureau, je n'y suis pas resté plus de trois quarts d'heure. Je souffrais d'une douleur lancinante à la tête. L'endroit me faisait l'effet d'un tombeau. Je me suis glissé dans la salle de la photocopieuse, puis dans les toilettes, puis dans l'ascenseur, sans manteau ni attaché-case : si jamais quelqu'un surveillait ma sortie, cette dernière aurait l'air normale et non préméditée.

Ridicules précautions. Il s'agissait d'une grande compagnie employant beaucoup de vendeurs, et qui pouvait très bien se débrouiller sans moi, ainsi que la suite l'a prouvé, puisque ce petit trajet entre l'ascenseur et le parking a été le dernier que j'ai effectué en tant qu'employé.

APRÈS QUOI J'AI APPELÉ mon ex-femme. Depuis une cabine. Elle était à son travail.

« Pourquoi ? lui ai-je demandé quand elle a décroché.

– Chick ?

– Pourquoi ? » ai-je répété.

J'avais eu trois jours pour que ma colère se mue en panique et c'était tout ce qui sortait. Un seul et unique mot : « Pourquoi ? »

« Chick. »

Son ton s'est radouci.

« Je n'ai même pas été *invité* ?

– C'est eux qui ont décidé ça. Ils se sont dit que...

– Que quoi ? Que ce serait plus peinard ? Que j'allais faire un scandale ?

– Je ne sais pas...

– Je suis devenu un monstre à présent. C'est ça ?

– Tu es où ?

– Je suis devenu un monstre ?

– Arrête.

– Je m'en vais.

– Écoute, Chick, Maria n'est plus une gosse, et si...

– Et tu ne pouvais pas prendre ma défense ? »

Silence.

« Tu t'en vas où ça ? m'a-t-elle demandé.

– Tu ne pouvais pas prendre ma défense ? »

Elle a soupiré.

« Je suis désolée. C'est compliqué. Il y a sa famille à lui aussi. Et ils...

– Tu y as été avec quelqu'un ?

– Bon, Chick, je suis au boulot, d'accord ? »

À ce moment précis, je me suis senti seul comme jamais de ma vie, et cette solitude a semblé s'installer dans mes poumons et tout y écraser pour ne plus laisser passer qu'un faible souffle. Il n'y avait plus rien à ajouter. Sur ce sujet en tout cas. Ou sur quelque sujet que ce soit, d'ailleurs.

« O.K., ai-je chuchoté. Je suis désolé. »

Il y a eu un silence.

« Et tu t'en vas où ? » m'a-t-elle demandé.

J'ai raccroché.

ET PUIS JE ME SUIS SOÛLÉ pour la dernière fois. D'abord dans un endroit qui s'appelait *Mr. Ted's Pub*, où le barman était un gamin décharné au visage lunaire, probablement guère plus vieux que le type que ma fille venait d'épouser. Plus tard, je suis revenu à mon appartement et me suis assis dans la cuisine, où j'ai continué à boire, toujours plus. J'ai renversé des meubles. J'ai écrit sur les murs. Je crois que j'ai jeté les photos du mariage dans le broyeur à ordures.

À un moment donné, au beau milieu de la nuit, j'ai décidé de rentrer à la maison, c'est-à-dire à Pepperville Beach, ma ville natale. C'était à deux heures de route, mais ça faisait des années que je n'y avais pas été. Je me suis agité dans mon appartement en grommelant et en faisant les cent pas comme si je préparais ma valise. Il n'y avait pourtant pas grand-chose à emporter pour un dernier voyage. Je crois que j'ai même composé notre ancien numéro (la ligne était coupée) et crié des insanités puis raccroché d'un geste rageur. Après quoi je suis allé dans la chambre, où j'ai sorti un revolver du tiroir.

Je suis descendu jusqu'au garage en trébuchant, j'ai glissé le revolver dans la boîte à gants, et jeté une veste sur le siège arrière, ou peut-être sur celui du passager, ou peut-être même que la veste était déjà là, je ne sais plus, puis je me suis retrouvé dans la rue, les pneus crissant sur l'asphalte. La ville était tranquille, les feux clignotaient à l'orange et j'allais terminer ma vie là où elle avait commencé.

Retourner à Dieu, avec maladresse. C'était aussi simple que ça.

Nous sommes heureux d'annoncer
la naissance de
Charles Allexander
3,6 kilos
le 21 novembre 1949
Leonard et Pauline Benetto

(retrouvé dans les papiers de Chick Benetto)

IL FAISAIT FROID ET IL BRUINAIT, mais l'autoroute était déserte et j'ai roulé sur chacune de ses quatre voies en passant de l'une à l'autre. Quelqu'un d'aussi soûl que moi aurait *dû* être arrêté par la police, c'était prévisible, voire souhaitable, et pourtant je ne l'ai pas été. J'ai même fait une halte dans un de ces magasins ouverts vingt-quatre heures sur vingt-quatre, et j'ai acheté un pack de six canettes de bière à un Chinois à fine moustache.

« Vous voulez un billet de Loto ? » m'a-t-il demandé.

Au fil des années, j'avais mis au point une façon de me comporter quand j'étais soûl : « l'alcoolique en homme debout », et j'ai fait semblant de réfléchir.

« Pas cette fois », lui ai-je répondu.

Il a glissé la bière dans un sac. J'ai croisé son regard, deux yeux sombres et bêtes, et je me suis dit : « *Ceci est donc le dernier visage que je verrai sur terre.* »

Il a poussé la monnaie vers moi.

QUAND J'AI ENFIN aperçu la pancarte annonçant ma ville natale – « PEPPER-VILLE BEACH, SORTIE À 1,5 KM » –, deux des bières avaient disparu et une autre s'était renversée sur le siège passager. Les essuie-glaces faisaient un bruit lourd. Je luttais pour rester éveillé. J'ai dû entrer dans une sorte de transe en voyant « SORTIE À 1,5 KM », parce que au bout d'un moment j'ai vu une pancarte annonçant une autre ville et je me suis rendu compte que j'avais complètement raté la sortie en question. J'ai tapé du poing sur le tableau de bord. J'ai fait rouler ma tête en grommelant des insultes, puis j'ai effectué un demi-tour, en plein milieu de l'autoroute, et je suis reparti dans le mauvais sens. Il n'y avait pas de circulation et, de toute façon, je m'en fichais. Je voulais arriver à cette maudite sortie. J'ai pressé sur le champignon. Assez rapidement m'est apparue une bretelle – d'entrée, pas de sortie – et j'ai freiné comme un fou pour ne pas la rater. C'était un de ces longs trucs en boucle, un grand demi-cercle, et j'ai coincé le volant braqué, roulant à toute vitesse pour effectuer un tour complet et sortir.

Tout à coup, deux énormes phares m'ont aveuglé, on aurait dit deux soleils géants. Puis le klaxon d'un camion a retenti, suivi d'un coup violent; ma voiture s'est envolée par-dessus un talus et a atterri violemment en bas. Il y avait du verre partout, des canettes de bière qui rebondissaient, et je me suis accroché au volant autant que je le pouvais tandis que la voiture faisait une embardée vers l'arrière. Je me souviens d'éclairs, de ciel noir et d'herbes vertes ; après quoi j'ai entendu comme un coup de tonnerre, puis quelque chose de haut et de solide m'a écrasé.

QUAND J'AI OUVERT les yeux, j'étais étendu sur l'herbe mouillée. Ma voiture était à demi enterrée sous le panneau publicitaire d'un concessionnaire Chevrolet du coin à présent détruit et dans lequel elle s'était apparemment encastrée. Je suppose que, dans un de ces moments hallucinants que peut connaître la physique, j'avais dû être éjecté du véhicule avant l'impact. Ma survie était inexplicable. Vous voulez mourir, mais on vous épargne. Qui pourrait bien être en mesure d'expliquer ça ?

Je me suis relevé lentement, péniblement. Mon dos était trempé. J'étais perclus de douleurs. Il bruinait, mais tout était tranquille, hormis le chant des grillons. Normalement, à ce stade-là du récit, n'importe qui d'autre aurait dit : « J'étais tout bonnement heureux d'être en vie », mais j'en étais bien incapable puisque ce n'était pas le cas. J'ai levé les yeux vers l'autoroute. Dans la brume, j'ai distingué l'énorme poids lourd, on aurait dit un gros navire naufragé, et sa cabine tordue faisait penser à un cou coupé. De la vapeur sortait du capot. Un des phares fonctionnait toujours et jetait un rayon solitaire le long du fossé boueux, rayon qui transformait le verre éparpillé en diamants scintillants.

Où était le chauffeur? Était-il vivant? Blessé? En sang? Respirait-il? Un homme courageux aurait bien évidemment grimpé pour vérifier, mais à ce moment précis le courage n'était pas vraiment mon fort.

Et donc, je n'ai rien fait.

À la place, j'ai collé les mains contre mon corps et suis parti plein sud, à pied, direction ma ville natale. Je n'en suis pas fier. Mais je n'avais pas vraiment toute ma tête, j'étais plutôt du genre zombie, un robot, incapable de me soucier de quiconque, y compris de moi-même – moi-même en tête de liste, en fait. J'ai oublié la voiture, le poids lourd, le revolver, j'ai tout laissé derrière moi. Mes chaussures ont crissé sur le gravier et j'ai entendu rire les grillons.

IMPOSSIBLE DE DIRE pendant combien de temps j'ai marché. Suffisamment en tout cas pour que la pluie cesse et que les premiers remous de l'aube se mettent à éclairer le ciel. J'ai atteint la périphérie de Pepperville Beach, reconnaissable à un gros château d'eau à la cuve rouillée, juste derrière le terrain de base-ball. Dans les petites villes comme la mienne, y grimper était un rite de passage, et avec mes copains de base-ball, nous l'escaladions le week-end, des bombes de peinture accrochées à nos ceintures.

Me revoilà planté devant aujourd'hui, vieux, mouillé, cassé, ivre, peut-être même assassin en prime, devrais-je ajouter – c'était en tout cas envisageable, puisque je n'avais pas vu le chauffeur du poids lourd. Mais ça n'avait pas d'importance, puisque j'allais accomplir ensuite un geste totalement insensé, déterminé que j'étais à ce que ceci soit la dernière nuit de ma vie.

J'ai trouvé le premier échelon.

J'ai grimpé.

Ça m'a pris un moment pour atteindre le réservoir. Je crois que j'ai failli tomber de l'échelle et que je me suis raccroché aux barreaux. Quand j'ai fini par atteindre la passerelle, je me suis écroulé, respirant avec difficulté, cherchant de l'air. Au fond de mon cerveau brumeux, une voix m'a reproché ma piètre condition physique.

J'ai regardé les arbres en dessous de moi. Derrière eux, j'ai vu le terrain de base-ball où mon père m'avait appris à jouer. J'avais beau être soûl et malade, le revoir a suffi à faire remonter de tristes souvenirs. Qu'est-ce qui fait que notre enfance ne nous abandonne jamais, même quand on est démoli au point de douter qu'on ait jamais *été* un enfant?

Le ciel s'illuminait. Les grillons se faisaient plus bruyants. J'ai tout d'un coup revu en flash la petite Maria dont la peau sentait bon le talc, endormie contre moi à l'époque où elle était suffisamment petite pour tenir dans un seul de mes bras. Puis je me suis imaginé déboulant à son mariage, mouillé et ivre comme je l'étais à l'instant, la musique arrêtée net, tout le monde me regardant avec horreur et elle aussi, elle surtout.

J'ai baissé la tête.

Personne ne me regretterait.

J'ai fait deux pas rapides en avant, ai attrapé la rambarde et me suis précipité par-dessus.

LE RESTE EST inexplicable. Ce que j'ai heurté, comment j'ai survécu, je n'en sais rien. Tout ce dont je me souviens, c'est d'avoir tourbillonné, de m'être brisé d'un coup sec, d'avoir frôlé quelque chose, de l'avoir heurté, puis d'un sourd bruit final. Les cicatrices sur mon visage? J'imagine qu'elles viennent de là. J'ai eu l'impression de tomber pendant une éternité.

Quand j'ai ouvert les yeux, j'étais entouré par les morceaux cassés de l'arbre. Des pierres écrasaient mon ventre et mon thorax. J'ai soulevé le menton, et voici ce que j'ai vu : le terrain de base-ball de ma jeunesse dans la lumière matinale, avec ses deux abris pour les joueurs et le monticule du lanceur.

Ainsi que ma mère, morte depuis des années.

II. Le matin

La maman de Chick

MON PÈRE M'AVAIT DIT à une occasion :
« Tu peux être le petit garçon à sa maman ou
à son papa. Mais tu ne peux pas être les
deux. »

Et donc j'étais devenu le petit garçon à son
papa. J'imitais sa façon de marcher, son rire
caverneux de fumeur. Je traînais avec moi un
gant de base-ball parce qu'il adorait ce sport,
et j'attrapais chaque balle qu'il m'envoyait
avec force, même celles qui me brûlaient
tellement les mains que j'aurais pu en
pleurer.

Après l'école, je courais vers son magasin
de spiritueux sur Kraft Avenue et j'y restais
jusqu'au dîner, jouant dans la réserve avec
des cartons vides en attendant qu'il ait fini sa
journée. On rentrait à la maison ensemble
dans sa Buick bleu ciel, et parfois on restait
assis dans l'allée menant à la maison pendant

qu'il fumait ses Chesterfields et écoutait les nouvelles à la radio.

J'ai une sœur cadette prénommée Roberta, et à l'époque elle portait des ballerines roses en quasi-permanence. Quand on mangeait au snack du coin, ma mère la tirait vers les toilettes « pour femmes » – ses pieds roses glissant sur le carrelage –, tandis que mon père m'emmenait dans les toilettes « pour hommes ». Dans mon jeune esprit, je m'imaginais que telle était la répartition définitive des rôles : moi avec lui, elle avec elle. Les femmes. Les hommes. La petite fille à sa maman. Le petit garçon à son papa.

Je l'étais, et je le suis resté jusqu'à ce samedi matin ensoleillé et dégagé de printemps de ma dernière année de primaire. On avait un match prévu ce jour-là contre l'équipe des Cardinals en maillots rouges et sponsorisée par Connor's Plumbing Supply.

Le soleil chauffait déjà la cuisine quand j'y suis entré avec mes longues chaussettes, le gant à la main, et que j'ai vu ma mère attablée, fumant une cigarette. D'ordinaire c'était une très belle femme, mais ce matin-là, non. Elle s'est mordu la lèvre et a détourné les yeux. Je me souviens de l'odeur du pain brûlé et je me suis dit qu'elle devait être contrariée parce qu'elle avait raté le petit déjeuner.

« Je mangerai des céréales », lui ai-je dit.

J'ai pris un bol dans le placard.

Elle s'est raclé la gorge.

« À quelle heure est ton match, mon cœur ?

– Tu as un rhume ? »

Elle a secoué la tête et posé une main contre sa joue.

« À quelle heure est ton match ?

– Je sais pas. »

J'ai haussé les épaules. C'était avant que je porte une montre.

J'ai sorti le lait dans sa bouteille en verre, ainsi que la grosse boîte de Corn Flakes. Je suis allé trop vite et j'en ai renversé sur la table. Ma mère les a ramassés, un par un, et les a gardés dans sa paume.

« Je t'emmènerai, a-t-elle chuchoté. Quelle que soit l'heure.

– Pourquoi c'est pas papa ?

– Papa n'est pas là.

– Il est où ? »

Elle n'a pas répondu.

« Il revient quand ? »

Elle a écrasé les Corn Flakes, qui se sont émiettés en une poussière farineuse.

Et c'est à partir de ce jour-là que je suis devenu le petit garçon à sa maman.

MAINTENANT, QUAND JE DIS QUE J'AI VU MA MÈRE MORTE, je ne veux rien dire de plus par là. Je l'ai vue. Elle était debout près de l'abri des joueurs, vêtue d'une veste mauve et tenant son sac à la main. Elle n'a pas prononcé le moindre mot. Elle s'est juste contentée de me regarder.

J'ai essayé de me soulever dans sa direction puis je suis retombé, les muscles parcourus par un éclair de douleur. Mon cerveau voulait l'appeler, crier son nom, mais aucun son ne sortait de ma gorge.

J'ai baissé la tête et pris appui sur mes mains. J'ai poussé fort de nouveau, et cette fois-ci j'ai réussi à me redresser. J'ai levé les yeux.

Elle avait disparu.

Je ne m'attends pas à ce que vous me compreniez. Ce que je vous raconte ici est totalement fou, je le sais bien. On ne peut pas voir les morts. Ils ne vous rendent pas visite non plus. On ne tombe pas d'un château d'eau pour se retrouver miraculeusement en vie en dépit de tous les efforts mis en œuvre pour se suicider ; pas plus que l'on ne voit sa chère mère défunte tenant son sac à main à côté de l'abri des joueurs.

J'y ai réfléchi autant que vous y réfléchissez en ce moment même, probablement ;

il devait s'agir d'une hallucination, d'une élu-
cubration, d'un rêve d'alcoolique, d'un cerveau confus produisant des pensées confuses.
Je viens de vous le dire, je ne m'attends pas à
ce que vous me compreniez.

Pourtant, c'est bel et bien ce qui s'est
passé. Elle m'était apparue. Je l'avais vue.
J'étais resté étendu sur le terrain durant une
période indéterminée, puis je m'étais relevé
et j'avais marché. J'avais épousseté le sable et
les débris sur mes genoux et sur mes bras. Je
saignais en des dizaines d'endroits, des égra-
tignures pour la plupart, quelques-unes plus
grandes, et j'avais un goût de sang dans la
bouche.

J'ai coupé par un carré de pelouse qui
m'était familier. En secouant les arbres, un
vent matinal apportait un déferlement de
feuilles jaunes, on aurait dit une pluie torren-
tielle. J'avais échoué deux fois dans ma
tentative de suicide. Difficile d'être plus
pathétique que ça.

Je me suis dirigé vers mon ancienne maison, bien déterminé à aller jusqu'au bout.

Mon cher Charley,

Amuse-toi bien à l'école aujourd'hui !
Je te verrai pour déjeuner et on prendra un milk-shake.

Je t'aime chaque jour

Maman

(trouvé dans les papiers de Charles Benetto et datant de 1954 environ)

Comment maman a rencontré papa

MA MÈRE PASSAIT SON TEMPS À M'ÉCRIRE des petits mots. Elle m'en glissait un chaque fois qu'elle m'emmenait quelque part. Je n'ai jamais compris pourquoi, puisque ce qu'elle avait à me dire, elle aurait pu me le dire en face et économiser du papier, de même que ça lui aurait épargné l'horrible goût de la colle qui sert à fermer les enveloppes.

Je pense que le premier mot a fait son apparition lors de mon premier jour de maternelle en 1954. J'avais combien? Cinq ans? La cour de récréation était pleine d'enfants hurlant et courant en tous sens. Je tenais la main de ma mère tandis qu'on s'approchait d'une femme coiffée d'un béret noir qui formait des rangs devant chaque institutrice. J'ai vu les autres mères embrasser leurs enfants puis partir. Et j'ai dû me mettre à pleurer.

« Qu'est-ce qui ne va pas? m'a demandé ma mère.

— Ne pars pas.

— Je serai là quand tu sortiras.

— Non.

— Ne t'inquiète pas. Je serai là.

— Et si je te trouve pas?

— Tu me trouveras.

— Et si je te perds?

— On ne peut pas perdre sa mère, Charley. »

Elle a souri. Et plongé la main dans la poche de sa veste pour me tendre une petite enveloppe bleue.

« Voilà. Si je te manque vraiment très fort, tu peux l'ouvrir. »

Elle m'a essuyé les yeux avec un Kleenex pris dans son sac, puis m'a serré dans ses bras avant de s'en aller. Je revois encore ses lèvres rouge Revlon, ses cheveux relevés derrière les oreilles tandis qu'elle marchait à reculons en m'envoyant des baisers et que moi j'agitais la lettre en signe d'au revoir. J'imagine que ça ne lui a pas traversé l'esprit que je commençais juste l'école et que je ne savais pas lire. C'était bien ma mère, ça. À ses yeux, seule l'intention comptait.

IL PARAÎT QU'ELLE avait rencontré mon père près de Pepperville Lake au printemps 1944. Pendant qu'elle nageait, lui, il envoyait une balle de base-ball à un ami, qui l'a renvoyée trop haut. Elle a atterri dans l'eau. Ma mère a nagé pour l'attraper, mon père a plongé et, alors qu'il refaisait surface pour cette même balle, leurs têtes se sont heurtées.

« Et ça ne s'est pas arrêté depuis », se plaisait-elle à dire.

Sa cour avait été rapide et intense, parce que mon père était comme ça, quand il entamait quelque chose, c'était pour aller jusqu'au bout. C'était un grand jeune homme costaud, fraîchement bachelier, coiffé d'une banane et qui conduisait la Lasalle bleue et blanche de son père. Durant la Seconde Guerre mondiale, il s'était engagé comme soldat dès qu'il avait pu, racontant à ma mère qu'il aurait aimé être « le citoyen de Pepperville Beach qui tuerait le plus de soldats ennemis ». Il a été envoyé en Italie, dans les Apennins et dans la vallée du Pô, près de Bologne. Dans une lettre postée de là-bas en 1945, il lui a écrit « Épouse-moi », ce qui moi me faisait plutôt l'effet d'un ordre. Ma mère a accepté, rédigeant sa réponse sur du papier spécial en lin, trop cher pour sa bourse mais qu'elle avait acheté quand même, respectueuse qu'elle était des mots et du biais utilisé pour les communiquer.

Deux semaines après que mon père l'avait reçue, les Allemands capitulaient. Il pouvait rentrer au pays.

Ma théorie est qu'il n'a jamais eu son comptant de guerre. Alors il a fait la sienne avec nous.

MON PÈRE SE PRÉNOMMAIT Leonard, mais tout le monde l'appelait Len; ma mère, Pauline, mais tout le monde l'appelait Posey. Elle avait de grands yeux en amande, de longs cheveux noirs qu'elle portait souvent relevés, et un teint doux et crémeux. Elle ressemblait à Audrey Hepburn, et dans notre petite ville peu de femmes pouvaient se vanter d'un tel physique. Elle adorait se maquiller – mascara, eye-liner, fard à joues, etc. – et, tandis que la plupart des gens la trouvaient « drôle » ou « pétillante » – plus tard, ce serait « excentrique » et « têtue » –, durant la majeure partie de mon enfance, moi, j'ai surtout trouvé qu'elle m'asticotait.

Est-ce que j'avais bien mes bottes fourrées? Et ma veste? Est-ce que j'avais fini mes

devoirs ? Pourquoi mes pantalons étaient-ils
déchirés ?

Elle passait son temps à corriger ma gram-
maire.

« Moi et Roberta, on va...

– Roberta *et moi*, m'interrompait-elle.

– Moi et Jimmy, on veut...

– Jimmy *et moi*. »

Dans l'esprit d'un enfant, les parents se
muent en icônes et celle de ma mère représentait une femme avec du rouge à lèvres,
penchée sur moi, un doigt en l'air et me
demandant d'être meilleur que je ne l'étais.
Celle de mon père représentait un homme
adossé à un mur, fumant une cigarette et me
regardant me débattre.

Avec le recul, j'aurais dû faire plus attention au fait que l'un se penchait vers moi
tandis que l'autre s'en détachait. Mais j'étais
un môme, et que sait-on à cet âge-là ?

MA MÈRE ÉTAIT d'origine française pro-
testante, mon père, italienne catholique, et
leur union était un excès de Dieu, de culpabilité et de sauce. Ils se disputaient sans arrêt.
Les gosses. La nourriture. La religion. Il suffisait que mon père accroche un portrait de
Jésus sur le mur en face des toilettes pour

que ma mère le déplace dans un endroit plus discret pendant qu'il était au travail. De retour à la maison, il criait : « Seigneur, tu n'as pas le droit de bouger le Christ », et elle répondait : « C'est un tableau, Len. Tu crois que Dieu a envie d'être accroché en face des toilettes ? »

Où il le remettait illico.

Après quoi elle le rebougeait le lendemain.

C'était un ballet incessant.

Ils avaient beau être un mélange de milieux et de cultures, on n'était pas une démocratie pour autant. Le vote de mon père comptait double. C'est lui qui décidait de ce que l'on mangeait pour dîner, de la couleur qu'aurait la maison, de la banque qui serait la nôtre et de la chaîne à regarder sur notre poste Zenith noir et blanc. Le jour de ma naissance, il a annoncé à ma mère : « Le gamin sera baptisé catholique », point final.

Ce qui est marrant, c'est qu'il n'était pas croyant. Après la guerre, mon père, gérant d'un magasin de spiritueux, s'intéressait plus aux profits qu'aux prophéties. La seule chose qu'il me demandait d'adorer, c'était le base-ball. Il m'a lancé des balles avant même que je sache marcher. Et il m'a offert une batte en bois avant que ma mère ne m'autorise à me servir de ciseaux. Il disait qu'un jour je pourrais intégrer les plus grandes équipes, pour peu que j'aie un « plan » et que je sache « m'y tenir ».

Bien sûr, quand on est aussi jeune, on adopte les « plans » de ses parents, pas les siens.

Et donc, à partir de mes sept ans, j'ai parcouru le journal en quête des résultats de matchs de mes équipes favorites. Je gardais un gant au magasin au cas où mon père pourrait se libérer quelques minutes et m'envoyer des balles sur le parking. Je portais même parfois des chaussures à crampons à la messe du dimanche parce qu'on filait voir les matchs de l'American Legion juste après le dernier cantique. Quand j'entendais parler de l'église comme de la « maison de Dieu », je m'inquiétais que le Seigneur n'apprécie pas vraiment que les chaussures en question claquent sur son carrelage. À une occasion, j'avais même essayé de me mettre sur la pointe des pieds, mais mon père avait chuchoté : « Qu'est-ce que tu fabriques ? » et j'avais vite retrouvé une position normale.

MA MÈRE, ELLE, se fichait bien du base-ball. Fille unique d'une famille pauvre, elle

avait dû arrêter le lycée pendant la guerre.
Elle avait suivi des cours du soir pour obtenir
son bac, et ensuite son diplôme d'infirmière.
Pour elle, seuls existaient les livres, l'université, et les portes qu'ils ouvriraient; son
commentaire le plus positif sur le base-ball
était : « Ça te fait prendre l'air. »

Mais elle venait. Elle s'asseyait sur les gradins, avec ses grosses lunettes de soleil et ses
cheveux bien arrangés grâce à son coiffeur
attitré. Parfois, je lui jetais un regard furtif
depuis l'abri des joueurs et voyais bien
qu'elle ne regardait pas. Mais quand c'était à
mon tour de renvoyer la balle, elle applaudis-
sait en criant « Ouiiiii, Charley! », et je
suppose que c'était tout ce qui m'importait.
Mon père, qui a été l'entraîneur de chaque
équipe où j'ai joué jusqu'au jour où il est
parti, m'a une fois vu la regarder et m'a hurlé :
« Les yeux sur la balle, Chick! Y a rien là-
haut qui va t'aider! »

Je suppose que maman ne faisait pas partie
du « plan ».

JE PEUX NÉANMOINS affirmer que je
l'adorais, de la façon qu'ont les garçons
d'adorer leur mère sans tout à fait la respecter pour autant... D'abord, elle était drôle. Ça

ne la dérangeait pas de s'étaler de la crème glacée sur le visage pour faire rire. Elle imitait de drôles de voix, comme Popeye ou Louis Armstrong croassant « *If ya ain't got it in ya, ya can't blow it out...* ». Elle me chatouillait et me laissait la chatouiller à mon tour, tout en se protégeant pendant qu'elle riait. Elle me bordait chaque soir, me caressait les cheveux et me demandait : « Donne un baiser à ta mère. » Elle me disait que j'étais intelligent, que c'était un fameux privilège, insistait pour que je lise un livre par semaine et m'emmenait à la bibliothèque pour s'assurer que je le faisais bien. Elle s'habillait parfois de manière trop voyante et avait la sale manie de chanter nos tubes avec nous. Mais à aucun moment il n'y avait eu un quelconque problème de confiance entre nous.

Si ma mère disait quelque chose, c'est que c'était vrai.

Elle ne me passait rien, attention. Elle me grondait, me punissait, me giflait. Mais elle m'aimait. Vraiment. Elle m'aimait quand je tombais de la balançoire. Quand je marchais sur ses carrelages avec des chaussures boueuses. Quand je vomissais, avais de la morve au nez ou les genoux ensanglantés. Elle aimait mes allées et venues, que je sois joyeux ou que je ne le sois pas. Le fond de son cœur abritait un puits débordant d'un amour infini pour moi.

Sa seule erreur avait été de ne pas m'avoir fait trimer pour en être digne.

Je vous livre ma théorie : les gosses cherchent à obtenir l'amour qui leur échappe, et pour moi, c'était celui de mon père. Qu'il gardait bien caché, comme des papiers dans un attaché-case. Pendant que moi, j'essayais en permanence d'y avoir accès.

Des années plus tard, après la mort de ma mère, j'ai fait la liste Des Fois Où Ma Mère M'avait Défendu et Des Fois Où Moi Je N'avais Pas Défendu Ma Mère. C'était triste, ce déséquilibre. Pourquoi les gosses aiment-ils tellement un parent et tiennent-ils l'autre en moindre estime ?

Peut-être que c'était comme le disait mon père. Tu peux être le petit garçon à sa maman ou le petit garçon à son papa, mais tu ne peux pas être les deux. Alors, tu t'accroches à celui que tu crains de perdre.

Les Fois Où Ma Mère M'a Défendu

J'ai cinq ans. On va à la supérette, chez Fanelli. Une voisine en robe de chambre et bigoudis roses ouvre sa porte moustiquaire et hèle ma mère. Pendant qu'elles papotent, je m'aventure vers le jardin de la maison d'à côté.

Tout à coup, voilà qu'un chien-loup sorti de nulle part me saute dessus. Il est attaché au poteau d'une corde à linge. Awowwow! Il se lève sur ses pattes arrière en tirant sur sa laisse. Awowwowow!

Je fais demi-tour et cours. Je dois être en train de crier. Ma mère se précipite vers moi.

« Quoi? hurle-t-elle en m'agrippant par les coudes. Qu'est-ce qui se passe?

– Un chien! »

Elle penche la tête en arrière et souffle.

« Un chien? Où ça? Par là-bas? »

Je hoche la tête, en larmes.

Elle m'entraîne vers la maison d'un pas

décidé. *Le chien est là. Il aboie à nouveau –
Awowwowowow! Je m'écarte d'un bond. Mais
d'un coup sec ma mère me tire en avant. Et elle
aboie. Elle aboie. Et c'est le meilleur aboiement
que j'aie jamais entendu de la part d'un humain.*

*Le chien s'aplatit en gémissant. Ma mère
tourne les talons.*

*« Tu dois leur montrer qui est le chef, Char-
ley », m'explique-t-elle.*

**(sur une liste retrouvée dans un carnet
parmi les effets personnels de Chick
Benetto)**

Chick retourne à son ancienne maison

LE SOLEIL MATINAL ÉTAIT JUSTE au-dessus de l'horizon et il m'est tombé dessus comme une balle courbe entre les maisons de mon ancien quartier. J'ai protégé mes yeux. Je sentais des martèlements dans la tête. On était début octobre et il y avait déjà des tas de feuilles poussées contre le trottoir, davantage en tout cas que dans le souvenir que je gardais des automnes passés ici sous un ciel moins grand. Je pense que ce que l'on remarque le plus quand on n'est pas rentré chez ses parents depuis un bout de temps, c'est combien les arbres ont poussé autour de vos souvenirs.

Pepperville Beach. Savez-vous comment la ville a hérité de son nom? C'est presque gênant. Une pelleteuse avait apporté un petit carré de sable il y a des années de cela, à l'initiative d'un entrepreneur qui pensait que la ville gagnerait à avoir une plage, quand bien même nous n'avions pas d'océan. Il s'est affilié à la chambre de commerce et a même fait changer le nom de la ville de Pepperville Lake en Pepperville Beach, en dépit du fait que notre « plage » se résumait à des balançoires et un toboggan et qu'elle pouvait accueillir un maximum de douze familles, au-delà, on était les uns sur les autres. Durant notre enfance, on avait tourné ça en dérision – « Hé, tu veux aller à la *plage* ? » ou « Hé, on dirait que c'est un bon jour pour aller à la *plage* » – parce qu'on savait pertinemment que personne n'était dupe.

Quoi qu'il en soit, notre maison était tout près du lac – et de la « plage » – et ma sœur et moi l'avons gardée à la mort de notre mère en nous disant qu'elle pourrait valoir quelque chose un jour. Pour être honnête, je n'avais pas le courage de m'en séparer.

Me voici qui avançais à présent vers cette maison, dos courbé, comme un fugitif. J'avais fui le lieu de l'accident, et certainement qu'à l'heure actuelle quelqu'un avait découvert la voiture, le camion, le panneau publicitaire effondré et le revolver. J'avais mal partout, je saignais, et j'étais encore à moitié sonné. Je m'attendais à entendre des sirènes de police d'un moment à l'autre – ce qui n'était qu'une raison supplémentaire de me suicider.

J'ai gravi les marches du perron en vacillant et trouvé la clé cachée sous une fausse pierre dans un bac à fleurs (l'idée était de ma sœur). Regardant par-dessus une épaule, puis l'autre, et ne voyant rien, ni police, ni badauds, ni même une voiture venant de droite ou de gauche, j'ai ouvert la porte et je suis entré.

LA MAISON SENTAIT le renfermé et il flottait une vague odeur de shampoing pour moquette, comme si quelqu'un (la personne que nous payions pour l'entretien?) était venu nettoyer récemment. Je suis passé devant le placard du couloir et la rampe sur laquelle on glissait quand on était gosses. J'ai pénétré dans la cuisine au vieux sol carrelé et aux placards en cerisier. L'esprit ailleurs, j'ai ouvert le frigo parce que je cherchais un truc alcoolisé; c'était devenu un réflexe à ce stade de ma vie.

Et là, j'ai sursauté.

Parce que à l'intérieur il y avait de la nourriture.

Un Tupperware. Un reste de lasagnes. Du lait écrémé. Du jus de pomme. Du yaourt à la framboise. En un éclair, je me suis demandé si quelqu'un s'était installé là, un squatter ou autre, dont ce serait devenu la maison, ce qui pouvait bien être le prix à payer pour l'avoir délaissée si longtemps.

J'ai ouvert un placard. Il y avait du thé Lipton, un bocal de décaféiné soluble et des tasses en porcelaine. J'ai ouvert un autre placard. Du sucre. Du sel. Du paprika. De l'origan. Les marques m'étaient familières, tout comme les couleurs des boîtes.

J'ai vu une assiette couverte de bulles qui trempait dans l'évier. Je l'ai soulevée puis reposée, très lentement, comme si j'essayais de la remettre à sa place.

C'est alors que j'ai entendu quelque chose.

Ça venait d'en haut.

« Charley ? »

Puis une deuxième fois.

« Charley ? »

La voix de ma mère.

J'ai quitté la cuisine en courant, les doigts encore mouillés d'eau savonneuse.

Les Fois Où Je N'ai *Pas* Défendu Ma Mère

J'ai six ans. C'est Halloween. L'école organise son défilé annuel. Tous les enfants devront marcher dans les rues du quartier.

« Achète-lui un déguisement, dit mon père. Ils en ont des bon marché. »

Mais non, puisque c'est mon premier défilé, ma mère décide qu'elle va me faire un déguisement : la « momie », mon personnage d'épouvante préféré.

Elle fabrique des bandelettes à partir de chiffons blancs et de vieilles serviettes dont elle m'entoure et qu'elle fait tenir avec des épingles de sûreté. Puis elle couvre les chiffons de papier-toilette et de Scotch. Ça prend drôlement long-temps mais, quand elle a fini, je regarde dans le miroir et y vois une momie. Je soulève les épaules et tourne sur moi-même.

« Oooh, tu fais très peur », dit ma mère.

Elle m'emmène à l'école. On commence notre

défilé. Au fur et à mesure que je marche, les chiffons se détendent. Deux rues plus loin, voilà qu'il se met à pleuvoir et que le papier-toilette part en lambeaux. Les chiffons se défont alors complètement. Et me tombent sur les chevilles, les poignets et le cou, dévoilant mon tricot de corps et mon pantalon de pyjama, que ma mère estimait être des sous-vêtements parfaits pour cette journée.

« Regardez Charley ! » s'écrient les autres enfants d'une voix perçante. Ils rient. Et me voici rouge comme une tomate. Je n'ai qu'une envie, disparaître, mais comment faire en plein milieu d'un défilé ?

Quand on arrive dans la cour de l'école, où les parents nous attendent avec leurs appareils photo, je ne suis plus qu'un magma mouillé et détrempé de chiffons et de bouts de papier-toilette. C'est moi qui vois ma mère en premier. Quand elle me repère, elle porte la main à sa bouche. Et moi j'éclate en sanglots.

« Tu as tout gâché ! » lui ai-je crié.

« CHARLEY ? »

Caché sur le perron de derrière, ce dont je me souviens le plus clairement, c'est avec quelle rapidité mon souffle m'a quitté. À un moment, j'étais devant le frigo à chercher ce que je voulais, et l'instant d'après mon cœur battait tellement vite que j'ai cru ne pas avoir assez d'oxygène pour l'alimenter. Je tremblais. La fenêtre de la cuisine était derrière moi, mais je n'osais pas regarder à travers. J'avais vu ma mère morte, et maintenant je venais d'entendre sa voix. J'avais abîmé des parties de mon corps auparavant, mais c'était la première fois que je m'inquiétais d'avoir endommagé mon esprit.

Je suis resté planté là, inspirant et expirant, les yeux rivés sur la terre à quelques pas de là. Enfants, on appelait ça notre « jardin », alors que ce n'était guère plus qu'un carré d'herbe. J'ai songé à le traverser d'un bond pour faire un saut chez les voisins.

Et puis la porte s'est ouverte.

Ma mère est sortie.

Ma mère.

Là. Sur ce perron.

Et elle s'est tournée vers moi.

Puis elle a dit : « Qu'est-ce que tu fabriques ici ? Il fait froid. »

JE NE SAIS PAS si je peux rendre compte aujourd'hui du bond que j'ai fait alors. Il aurait largement pu me faire tomber de la planète. Il y a ce qu'on connaît, et puis ce qui se passe. Quand les deux ne collent pas, il faut effectuer un choix. J'ai vu ma mère, vivante, devant moi. Je l'ai entendue prononcer de nouveau mon prénom. « Charley ? » Il n'y avait qu'elle pour m'appeler comme ça.

Est-ce que j'hallucinais ? Devais-je m'avancer vers elle ? Était-elle comme une bulle sur le point d'éclater ? Honnêtement, à ce stade-là, mes membres me faisaient l'effet d'appartenir à quelqu'un d'autre.

« Charley ? Qu'est-ce qui se passe ? Tu es coupé de partout. »

Elle portait un pantalon bleu et un pull blanc – du plus loin que je me souvienne, et même si c'était très tôt le matin, elle était toujours habillée – et elle ne me semblait pas plus âgée que la dernière fois que je l'avais vue, c'était pour son soixante-dix-neuvième anniversaire, le nez chaussé de ces lunettes à monture rouge qu'on lui avait offertes. Elle m'a fait un signe des yeux, et je ne sais pas si c'étaient ses lunettes, sa peau, ses cheveux ou sa façon d'ouvrir la porte de derrière comme elle le faisait quand je jetais des balles de tennis sur le toit, mais quelque chose a fondu à l'intérieur de moi, comme si son visage dégageait de la chaleur. Qui a coulé le long de mon dos. Est descendue jusqu'à mes chevilles. Et puis la barrière entre foi et incrédulité s'est rompue.

J'ai lâché prise.

J'ai quitté la planète.

« Charley ? m'a-t-elle lancé. Qu'est-ce qui ne va pas ? »

Et là, j'ai fait ce que vous auriez fait.

J'ai serré ma mère dans mes bras comme si je n'allais jamais plus la lâcher.

Les Fois Où Ma Mère M'a Défendu

J'ai huit ans. Et un devoir à faire. Je dois réciter par cœur devant la classe : « Qu'est-ce qui produit un écho ? »

Au magasin de spiritueux après l'école, je demande à mon père : « Qu'est-ce qui produit un écho ? » Armé d'une planchette et d'un crayon de bois, il est derrière, penché sur un inventaire qu'il doit vérifier.

« Je ne sais pas, Chick. C'est comme un ricochet.

– C'est dans les montagnes, non ?

– Mmm ? » fait-il en comptant les bouteilles.

« Tu n'étais pas dans les montagnes, pendant la guerre ? »

Il me décoche un regard.

« Pourquoi tu me demandes ça ? »

Il retourne à son cahier.

Ce soir-là, je demanderai plutôt de l'aide à ma mère. Elle prend le dictionnaire et on s'assied au salon.

« *Qu'il le fasse lui-même, assène mon père sèchement.*

— *Len, j'ai bien le droit de l'aider !* »

Une heure durant, elle m'aide donc à apprendre et à mémoriser. Puis je m'entraîne en me plantant devant elle.

« *Qu'est-ce qui produit un écho ? me demande-t-elle.*

— *La persistance du son après que sa source a disparu.*

— *Quelle condition est nécessaire à la production d'un écho ?*

— *Le son doit rebondir sur quelque chose.*

— *Dans quelles circonstances peut-on entendre un écho ?*

— *Quand il n'y a pas de bruit et que les autres sons sont absorbés.* »

Elle sourit. « *Bien.* » *Puis elle dit* « *écho* », *se couvre la bouche et marmonne :* « *Écho, écho, écho.* »

Ma sœur, qui a observé la scène, tend le doigt en s'écriant : « *C'est maman qui parle ! Je la vois !* »

Mon père allume la télé.

« *Quelle perte de temps* », *persifle-t-il.*

La mélodie change

VOUS SOUVENEZ-VOUS DE CETTE CHANSON : « *This Could Be The Start of Something Big* » ? C'était une mélodie enlevée et bien rythmée, généralement chantée par un type en smoking planté devant un orchestre de Big Band.

You're walkin' along the street, or you're at a
  party,
Or else you're alone and then you suddenly dig,
You're looking' in someone's eyes, you suddenly
  realize
That this could be the start of something big.

(Vous marchez dans la rue, ou bien vous êtes à
  une soirée,
Ou alors vous êtes seul et tout à coup vous
  comprenez
Que votre regard est plongé dans un autre, et
  vous vous dites
Ça pourrait être le début d'une grande histoire.)

Ma mère adorait cette chanson. Ne me demandez pas pourquoi. Elle passait au début d'un show télévisé des années 1950, je me souviens que c'était un programme en noir et blanc, encore que tout semblait être en noir et blanc à cette époque. Quoi qu'il en soit, ma mère trouvait que cette chanson faisait « swinguer », c'est le verbe qu'elle utilisait : « Oooh, en voilà une qui fait *swinguer*! » Et chaque fois qu'elle l'entendait à la radio, elle claquait des doigts comme si c'était elle qui dirigeait l'orchestre. On avait une chaîne hi-fi et, une année, pour son anniversaire, on lui a offert un disque de Bobby Darin, ce type qui ressemblait à Sinatra. Il y avait la chanson en question et elle passait le disque après le dîner en faisant la vaisselle. Ça, c'était quand mon père était encore là. Il lisait son journal et elle s'avançait vers lui pour lui tapoter l'épaule en chantonnant « *this could be the start of something big* », et bien sûr il ne levait même pas les yeux. Puis elle s'avançait vers moi et prétendait jouer de la batterie sur mon torse en accompagnant Bobby Darin.

You're dining at Twenty-One and watching your diet

Declining a charlotte russe, accepting a fig
Then out of the clear blue sky, it's suddenly gal
*   and guy*
And this could be the start of something big.

(Vous avez vingt et un ans et surveillez votre
*   ligne*
Du coup vous refusez la charlotte mais acceptez
*   une figue*
Puis, venue de nulle part, la flèche de Cupidon se
*   fiche*
Ça pourrait être le début d'une grande histoire.)

J'avais envie de rire – surtout quand elle disait « *fig* » –, mais vu que mon père se tenait en retrait, rire aurait confiné à la trahison. Mais ma mère s'est mise à me chatouiller et je n'ai pas pu me retenir.

« *This could be the start of something big*, a-t-elle fredonné, grand garçon, grand garçon, grandgarçongrandgarçongrandgarçon. »

Elle passait cette chanson tous les soirs. Puis ne l'a plus passée du tout une fois mon père envolé. Le 33 tours de Bobby Darin est resté sur l'étagère. Et le tourne-disque a pris la poussière. Au début, je croyais qu'elle avait changé de goûts musicaux, comme nous les gosses qui pensions à un moment donné que

Le matin

Johnnie Ray était un bon chanteur, pour décréter l'instant d'après que Gene Vincent était beaucoup mieux. Par la suite, je me suis dit qu'elle ne voulait pas de rappel de comment « *something big* » avait capoté.

La rencontre à l'intérieur de la maison

NOTRE TABLE DE CUISINE ÉTAIT RONDE, en chêne. Une après-midi, à l'époque où l'on était en primaire, ma sœur et moi y avions gravé nos prénoms à l'aide de couteaux pointus. On y était encore attelés quand on a entendu s'ouvrir la porte d'entrée – maman rentrait du travail –, et on a donc remis les couteaux dans le tiroir vite fait. Ma sœur a attrapé la plus grosse chose qui lui tombait sous la main, un demi-litre de jus de pomme, et l'a posé dessus. Quand ma mère est entrée, vêtue de sa blouse d'infirmière et les bras pleins de magazines, on a dû lui lancer « Bonjour, maman » un peu trop vite, parce que ça a immédiatement éveillé ses soupçons. On voit ça tout de suite sur le visage d'une mère, ce regard qui demande : « Qu'est-ce que vous avez encore fait, les enfants ? » Peut-être parce qu'on était assis en pleine après-midi à une table avec seulement ce demi-litre de jus de pomme entre nous deux.

Quoi qu'il en soit, elle a poussé le jus sur le côté sans lâcher ses magazines, a vu « CHAR » et « ROBER » – on n'avait pas été plus loin – et on a alors entendu un bruit fort et exaspéré, du genre « pfff ». Puis elle a hurlé : « Super, vraiment super ! » Et dans mon esprit d'enfant, je me suis dit qu'on n'avait peut-être pas fait une si grosse bêtise. Super voulait dire super, non ?

Mon père était en déplacement à l'époque, et ma mère nous a menacés de sa colère dès son retour. Mais ce soir-là, attablés devant un pain de viande garni d'un œuf dur au milieu – une recette qu'elle avait lue quelque part, peut-être dans l'un de ses magazines –, ma sœur et moi avons contemplé notre œuvre.

« Vous vous rendez tout de même compte que vous avez abîmé cette table ? a interrogé ma mère.

– Désolés, avons-nous grommelé.

– Et que vous auriez pu vous couper les doigts avec ces couteaux ? »

On est restés assis là, pris en faute et baissant la tête aussi bas que possible en signe de repentir. Mais on pensait tous les deux la même chose. Sauf que c'est ma sœur qui l'a dite. « Est-ce qu'on ne devrait pas aller jusqu'au bout, pour qu'au moins nos prénoms soient bien écrits ? »

L'espace d'une minute, j'ai retenu ma respiration, soufflé par son courage. Ma mère lui a décoché un regard de tueuse. Puis elle a éclaté de rire. Ma sœur l'a imitée. Et j'ai recraché une pleine bouchée de pain de viande.

On n'a jamais terminé nos prénoms. C'est resté « CHAR » et « ROBER » pour toujours. Mon père a bien évidemment hurlé à son retour. Mais au fil des ans et bien après qu'on a quitté la maison, je pense que ma mère devait aimer l'idée qu'on y ait laissé un souvenir, même s'il manquait quelques lettres.

AUJOURD'HUI ME VOICI ASSIS à la vieille table qui porte toujours la trace de ces entailles, et voici ma mère – ou son fantôme, ou que sais-je – qui entre dans la cuisine avec un gant et un flacon de désinfectant. Je l'ai regardée en verser sur le gant puis prendre mon bras et remonter la manche de ma chemise, comme si j'étais un petit garçon accouru vers elle après être tombé de la balançoire. Peut-être que vous vous dites : il ferait tout de même bien de déclarer une bonne fois pour toutes que cette situation est absurde, voire carrément impossible, la première question à poser étant tout de même : « Maman, tu n'es pas morte ? »

Ma seule réponse est que cette histoire fait maintenant sens pour moi quand je la raconte, mais c'était loin d'être le cas sur le coup. Sur le moment, j'étais tellement abasourdi de revoir ma mère, que faire sens de cette vision semblait impossible. C'était comme un rêve, peut-être qu'une partie de moi a cru rêver, je ne sais pas. Quand on a perdu sa mère, peut-on envisager de la revoir en chair et en os, d'être suffisamment proche d'elle pour pouvoir la toucher et la sentir ? Je savais qu'on l'avait enterrée huit ans auparavant. Je me souvenais de la cérémonie. D'avoir même jeté une pelletée symbolique sur son cercueil.

Mais quand elle s'est assise en face de moi, qu'elle s'est mise à tapoter le gant sur mon visage et mes bras, qu'elle a grimacé en voyant les coupures et qu'elle a grommelé : « Regarde-toi » – je ne sais pas comment dire mais ça a fait tomber mes défenses. Cela faisait longtemps qu'un autre être humain n'avait pas exprimé le désir d'être aussi

proche de moi et n'avait pas déployé de ten-
dresse en relevant une manche de chemise.
Elle se souciait de moi. Et pas qu'un peu.
Alors que j'avais manqué du respect élé-
mentaire de ma personne, elle soignait mes
blessures et je redevenais un fils avec cette
même facilité que lorsque l'on sombre dans
le sommeil le soir. Et je ne voulais pas que ça
s'arrête. C'est ma meilleure explication. Je
savais que tout ceci était impossible. Mais je
ne voulais pas que ça s'arrête.

« Maman », ai-je chuchoté.

Je n'avais pas prononcé ce mot depuis tellement longtemps. Quand la mort emporte
votre mère, elle vous le vole à tout jamais.

« Maman ? »

C'est juste un son, à vrai dire, un bour-
donnement interrompu par des lèvres
ouvertes. Il y a des tonnes de mots sur cette
planète, mais pas un seul qui sorte de votre
bouche comme celui-là.

« Maman ? »

Elle a passé le gant sur mon bras avec
douceur.

« Charley, a-t-elle soupiré. Dans quels
ennuis tu t'es encore fourré ? »

Les Fois Où Ma Mère M'a Défendu

J'ai neuf ans. Je suis à la bibliothèque muni-cipale. La femme préposée au prêt regarde par-dessus ses lunettes. J'ai choisi Vingt mille lieues sous les mers *de Jules Verne. J'aime les dessins sur la couverture et l'idée de gens vivant sous l'océan. Je n'ai pas vraiment regardé la grosseur des mots ni l'étroitesse des lignes. La bibliothécaire me scrute. Ma chemise est sortie et un de mes lacets est défait.*

« C'est trop dur pour toi, ça », m'assène-t-elle.

Et je la regarde déposer le livre sur une éta-gère derrière elle. Ce qui équivalait à l'enfermer dans un coffre. Je retourne à la section jeunesse et y choisis un album illustré racontant une his-toire de singe. Je reviens vers elle. Elle tamponne ce livre-là sans commentaire.

Quand ma mère vient me chercher en voiture, je grimpe tant bien que mal sur le siège avant. Elle remarque le livre que je viens d'emprunter.

« *Tu ne l'as pas déjà lu, celui-là ?*

— *La dame voulait pas que je prenne celui que j'avais choisi.*

— *Quelle dame ?*

— *La dame de la bibliothèque.* »

Elle coupe le contact.

« *Et pourquoi elle ne voulait pas ?*

— *Elle a dit que c'était trop dur.*

— *Qu'est-ce qui était trop dur ?*

— *Le livre.* »

Ma mère me fait sortir de la voiture illico. D'un pas décidé, elle me refait passer la porte et me ramène au prêt.

« *Je suis Mme Benetto. Et voici mon fils, Charley. Est-il vrai que vous lui avez dit qu'il avait choisi un livre qui était trop dur pour lui ?* »

La bibliothécaire se raidit. Elle est bien plus vieille et je suis étonné du ton de ma mère, qui d'ordinaire parle beaucoup plus gentiment aux gens.

« *Il voulait emprunter* Vingt mille lieues sous les mers *de Jules Verne, dit-elle en touchant ses lunettes. Il est trop jeune. Regardez-le.* »

Je baisse la tête. Regardez-moi.

« *Où est le livre ? demande ma mère.*

— *Pardon ?*

— *Où est le livre ?* »

La femme tend la main derrière elle. Et dépose

le livre sur le comptoir avec un bruit sec, comme si elle tenait ainsi à prouver quelque chose.

Ma mère l'attrape et me le fourre dans les bras. Je manque de le laisser tomber.

« Ne dites jamais à un enfant que quelque chose est trop dur pour lui, hurle-t-elle. Et ne le redites jamais – JAMAIS – à cet enfant-ci. »

Après quoi elle me tire dehors tandis que je m'accroche à mon Jules Verne. J'ai l'impression qu'on vient de dévaliser une banque, ma mère et moi, et je me demande si on va avoir des ennuis.

Les Fois Où Je N'ai *Pas* Défendu Ma Mère

On est à table. Ma mère sert le repas. Des ziti *sauce bolognaise.*

« C'est toujours pas ça, assène mon père.

— Ne recommence pas, rétorque ma mère.

— Ne recommence pas », l'imite ma petite sœur.

Elle fait rouler la fourchette dans sa bouche.

« Tu vas te faire mal, lance ma mère en retirant la main de ma sœur.

— Y a un problème avec le fromage, ou avec l'huile, décrète mon père en regardant son assiette comme si ça l'écœurait.

— J'ai essayé des centaines de manières.

— N'exagère pas, Posey. C'est tout de même pas si difficile de faire quelque chose que je puisse manger ?

— Ah ! tu ne peux pas le manger ? Parce que c'est immangeable maintenant ?

– *Bon sang de bonsoir*, grogne-t-il, *je n'ai vraiment pas besoin de ça.* »

Ma mère détourne le regard.

« *Mais oui, bien sûr*, dit-elle en déposant avec colère une portion dans mon assiette. *Comme si moi j'en avais besoin, peut-être ? C'est ça. Mange, Charley.*

– *J'en veux pas autant*, dis-je.

– *Tu manges ce que je te donne !*

– *Y en a trop !*

– *Maman*, fait ma sœur.

– *Tout ce que je veux dire, Posey, c'est que, si je te demande de le faire, c'est que tu peux. C'est tout. Je t'ai dit des centaines de fois pourquoi ça n'a pas bon goût. Si c'est pas bien, c'est pas bien. Tu veux que je te mente pour te faire plaisir ?*

– *Maman*, fait ma sœur en agitant sa fourchette.

– *Ça suffit !* crie ma mère en abaissant la fourchette de ma sœur. *Arrête, Roberta. Tu sais quoi, Len ? Fais-le toi-même la prochaine fois. Toi et ta fichue cuisine italienne. Charley, mange !* »

Mon père ricane et secoue la tête.

« *C'est toujours la même histoire* », rouspète-t-il.

Je le regarde. Il me voit. Je me dépêche d'enfourner ma nourriture. Il me fait un signe du menton.

« *Comment tu les trouves, les ziti de ta mère ?* »

Pour un jour de plus

Je mâche. J'avale. Je le regarde, lui. Puis elle. Dont les épaules retombent, exaspérées. Maintenant, les deux attendent.

« C'est pas ça », grommellé-je en regardant mon père.

Il grogne et décoche un regard à ma mère.

« Même le gamin s'en rend compte », dit-il.

Un nouveau départ

« EST-CE QUE TU PEUX RESTER la journée ? » m'a demandé ma mère.

Elle était debout devant la gazinière, occupée à préparer des œufs brouillés qu'elle remuait avec une spatule en plastique. Le pain grillé était déjà ressorti et il y avait un paquet de beurre sur la table, avec une cafetière pleine à côté. Je me suis affalé là, encore hébété. Je sentais que si je bougeais trop vite, tout exploserait. Elle s'était noué un tablier autour de la taille et, depuis les premières minutes où je l'avais revue, se comportait comme si ceci était un jour ordinaire. Comme si je lui avais fait la surprise d'une visite et qu'en retour elle me prépare le petit déjeuner.

« Tu peux, Charley ? m'a-t-elle demandé, passer la journée avec ta mère ? »

J'ai entendu le grésillement du beurre et des œufs.

« Hein ? » a-t-elle fait.

Elle a pris la poêle et s'est approchée.

« Pourquoi tu ne dis rien ? »

Il m'a fallu quelques secondes pour retrouver ma voix, comme si je me souvenais tout à coup du mode d'emploi. Comment est-ce qu'on parle aux morts ? Y a-t-il une autre série de mots ? Un code secret ?

« Maman, c'est impossible », ai-je fini par chuchoter.

Elle a fait glisser les œufs de la poêle et les a écrasés dans mon assiette. J'ai regardé ses mains veinées manipuler la spatule.

« Mange », m'a-t-elle répondu.

À UN MOMENT DONNÉ, la situation a dû changer, et les parents en cours de divorce, formant une équipe, ont décidé d'informer leurs enfants. Ils les ont fait asseoir et leur ont expliqué les règles. Hélas! ma famille s'est déchirée avant l'avènement de cette période; une fois mon père parti, il était parti.

Après quelques journées passées à pleurer, ma mère s'est mis du rouge sur les lèvres et du mascara sur les yeux, elle nous a préparé des pommes de terre sautées et nous a lancé en nous tendant nos assiettes : « Papa ne va plus habiter ici. » Point final. Au même titre qu'un changement de décor dans une pièce de théâtre.

Je n'arrive même pas à me rappeler à quel moment il est revenu chercher ses affaires. Un jour, on est rentrés de l'école et la maison nous a simplement semblé plus spacieuse. Il y avait davantage de place dans le placard de l'entrée. Et dans le garage, il manquait des outils et des boîtes. Je me souviens de ma sœur en larmes demandant : « Est-ce que c'est moi qui ai fait fuir papa? », promettant à ma mère de mieux se comporter s'il revenait à la maison. Je me souviens que moi-même, j'avais envie de pleurer, mais que je m'étais rendu compte qu'on était trois maintenant, pas quatre, et que j'étais le seul homme. Même à onze ans, je me sentais un devoir vis-à-vis de mon rôle de mâle.

Mon père me disait d'être fort quand je pleurais : « Sois fort, fiston, sois fort. » Et comme tous les enfants dont les parents se séparent, j'essayais de me comporter d'une manière qui ramènerait l'absent. Alors pas de larmes, Chick, tu n'as pas le droit.

DURANT LES PREMIERS mois, on s'est dit que ça n'allait pas durer. Qu'il s'agissait d'une prise de bec. D'un temps de réflexion. Les parents se chamaillent, non ? C'était le cas des nôtres. Ma sœur et moi nous installions en haut de l'escalier pour écouter leurs disputes, moi dans mon tee-shirt blanc et elle dans son pyjama jaune pâle, ses ballerines aux pieds. Parfois, ils s'accrochaient à notre sujet :

« *Pourquoi ce n'est pas toi qui t'en occupes pour une fois, Len ?*

– *Arrête de faire des histoires pour rien !*

– *J'en ai marre ! C'est toujours moi la sorcière qui doit leur annoncer les mauvaises nouvelles !* »

Ou à propos du travail :

« *Tu pourrais faire un effort, Posey ! Il n'y a pas que tes malades qui comptent !*

– *Eux sont malades, justement, Len. Tu veux que je leur dise : "Désolée mais je dois repasser les chemises de mon mari "? »*

Ou à propos de mon base-ball :

« *Il s'entraîne trop, Len !*

– *Il pourrait vraiment arriver à quelque chose.*

– *Regarde-le ! Il est épuisé en permanence !* »

Parfois, assise sur ces marches, ma sœur se mettait les mains sur les oreilles et pleurait. Moi, j'essayais d'écouter, ce qui signifiait se glisser par effraction dans le monde des adultes. Je savais que mon père travaillait tard et, ces dernières années, qu'il effectuait des déplacements auprès des distributeurs de spiritueux, disant à ma mère : « Posey, si tu ne remets pas ces gens à leur place, ils auront ta peau. » Je savais qu'il montait un autre magasin à Collingswood, à une heure de là environ, et qu'il y travaillait plusieurs jours par semaine. Selon lui, un nouveau magasin signifierait plus d'argent et « je pourrai t'acheter une meilleure voiture ». Mais, de toute évidence, cette perspective n'enchantait pas du tout ma mère.

Et donc, oui, ils se disputaient, mais je n'avais jamais envisagé de quelconques conséquences. Les parents ne se séparaient

pas, à cette époque. Ils trouvaient des solu-
tions. Ils restaient dans l'équipe.

Je me souviens d'un mariage autrefois,
pour lequel mon père avait loué un smoking
et ma mère une robe rouge à paillettes. Au
cours de la soirée, mes parents se sont levés
pour danser et j'ai retourné ma chaise pour
les regarder. J'ai vu ma mère lever le bras et
mon père prendre sa main dans sa grosse
pogne. J'avais beau être jeune, je voyais bien
que c'étaient eux les plus beaux danseurs.
Mon père était grand et baraqué, avec un
ventre plat sous sa chemise blanche à ner-
vures, contrairement à de nombreux pères
bedonnants. Et ma mère ? Eh bien, elle avait
un air radieux, elle souriait, un joli rouge crémeux sur les lèvres, et, quand ma mère avait
cet air-là, le monde entier passait au second
plan. Elle dansait de manière tellement fluide
qu'elle attirait obligatoirement les regards,
comme si une lumière éclairait sa robe et
accompagnait chacun de ses mouvements. À
la table, j'ai entendu quelques femmes mûres
marmonner des paroles désapprobatrices
comme : « C'est un peu trop » et : « Elle
gagnerait à se donner un peu moins en spectacle », mais je me rendais bien compte que
leur persiflage était dû au fait qu'elles
n'étaient pas aussi jolies qu'elle.

Et donc c'est comme ça que je voyais mes parents. Certes, ils se disputaient, mais ils dansaient ensemble. Après la disparition de mon père, je n'arrêtais pas de repenser à cette soirée et m'étais pratiquement convaincu qu'il allait revenir, ne serait-ce que pour voir ma mère dans cette robe rouge. Impossible autrement. Mais, avec le temps, j'ai fini par regarder ce mariage comme l'on regarde une photo de vacances fanée, c'est-à-dire un endroit où l'on était il y a des lustres de ça.

« Qu'est-ce que tu veux faire cette année ? » m'a demandé ma mère le premier mois de septembre qui a suivi leur divorce. La rentrée était proche et elle parlait de « nouveau départ » et de « nouveaux projets ». Ma sœur avait opté pour un théâtre de marionnettes.

J'ai regardé ma mère et lui ai adressé la première d'une longue série de mimiques.

« Je veux jouer au base-ball », ai-je répondu.

Un repas ensemble

JE NE SAIS PAS combien de temps s'est écoulé dans cette cuisine – j'avais encore l'impression que tout tournait, que j'étais groggy, comme quand on se cogne la tête contre le capot ouvert d'une voiture –, mais, à un moment donné, peut-être quand ma mère a dit : « Mange ! », j'ai abdiqué face à la réalité. J'ai fait ce que ma mère m'avait ordonné.

Et j'ai enfourné mes œufs.

Réveillée, ma langue a sursauté. Ça faisait deux jours que je n'avais pas mangé et je me suis mis à engouffrer la nourriture comme un prisonnier affamé. Le fait de mâcher a eu le mérite de détourner mon attention de cette situation pour le moins hors du commun. Autant le dire honnêtement, c'était aussi délicieux que familier. Je ne sais pas ce qu'il y a dans la nourriture qu'une mère vous prépare, surtout quand il s'agit de quelque chose de très ordinaire comme des crêpes, du pain de viande, de la salade de thon ou des œufs brouillés, mais un certain goût de souvenir y est résolument attaché. Ma mère avait l'habitude de parsemer de la ciboulette sur ses œufs brouillés, j'appelais ça « les petits trucs verts », et les voici qui étaient réapparus.

Je me retrouvais donc attablé devant un petit déjeuner d'autrefois, à une table d'autrefois, avec une mère d'autrefois.

« Ne mange pas si vite ou tu vas te rendre malade », m'a-t-elle conseillé.

Ça aussi, c'était autrefois.

J'ai terminé et elle a emporté assiette et tasse dans l'évier pour les rincer.

« Merci », ai-je marmonné.

Elle a levé les yeux. « Est-ce que tu viens juste de dire " merci ", Charley ? »

J'ai vaguement acquiescé.

« Et pourquoi ? »

Je me suis raclé la gorge.

« Pour le petit déjeuner ? »

Elle a souri en finissant la vaisselle. Je l'ai regardée et j'ai été assailli par un soudain élan de familiarité, moi à cette table tandis qu'elle faisait la vaisselle. On avait eu tellement de conversations, moi attablé et elle devant l'évier ; sur l'école, mes copains, ou encore les cancans du voisinage à ignorer, avec le bruit de l'eau qui nous faisait monter chaque fois d'un ton pour le couvrir.

« C'est impossible que tu sois là... » ai-je lancé. Puis je me suis arrêté. Dans l'incapacité de trouver une phrase.

Elle a fermé le robinet et s'est essuyé les mains sur un torchon.

« Oh ! regarde l'heure, m'a-t-elle lancé, il faut y aller. »

Elle est revenue vers la table. Elle s'est penchée vers moi et a pris mon visage entre ses mains. Qui étaient chaudes et humides à cause de l'eau du robinet.

« Le petit déjeuner, c'était avec plaisir », m'a-t-elle répondu.

Elle a attrapé son sac accroché à la chaise.

« Allez, sois gentil et file mettre ton manteau. »

Le 20 juillet 1958

Mon cher Charley,

Je sais que tu as peur, mais il n'y a rien à craindre. On s'est tous fait opérer des amygdales et regarde, on va tous bien !

Garde cette lettre. Mets-la sous ton oreiller avant que les docteurs n'arrivent. Ils vont te donner quelque chose qui va te faire dormir, et juste avant ça tu peux te souvenir que ma lettre est là : si tu te réveilles avant mon arrivée, tu peux glisser la main sous ton oreiller et la relire. Lire, c'est comme parler, alors imagine-toi que c'est ce que je suis en train de faire.

Et bientôt, ça sera pour de vrai.

Et puis tu auras droit à toute la glace que tu veux ! Qu'est-ce que tu dis de ça ?

Je t'aime chaque jour.

Maman

La famille de Chick après le divorce

PENDANT QUELQUE TEMPS, APRÈS que mes parents se sont séparés, on a essayé de vivre comme si de rien n'était. Mais les voisins ne nous ont pas laissés faire. Les petites villes sont comme des métronomes : à la moindre pichenette, le rythme change. Les gens étaient plus gentils envers ma sœur et moi. Ce qui voulait dire une sucette en plus chez le docteur ou bien une boule supplé· mentaire sur le cornet de glace. Quand elles nous croisaient dans la rue, les femmes nous prenaient par l'épaule, l'air sérieux, et nous demandaient : « Comment allez-vous, les enfants ? », alors que les gamins nous lançaient, eux, un simple : « Ça va ? »

Mais si, à nous, on nous montrait plus de gentillesse, il n'en allait pas de même pour ma mère. Les gens ne divorçaient pas, à l'époque. Je ne connaissais pas un seul gamin qui ait subi ça. Une séparation, là où on habitait en tout cas, avait des relents de scandale, et l'on en faisait forcément porter la responsabilité à l'un des deux parents.

Et c'est tombé sur ma mère, pour la bonne et simple raison qu'elle était sur place. Personne ne savait ce qui s'était passé entre Len et Posey, mais Len s'était envolé alors que Posey, non, ce qui semblait autoriser les autres à la juger, elle. Le fait qu'elle refuse de susciter la pitié ou de pleurer sur l'épaule de quiconque n'aidait pas non plus. Pire, elle était encore jeune et jolie. Pour les femmes, elle représentait donc une menace, pour les hommes une occasion, et pour les gamins une bizarrerie. Aucune des options n'était très fameuse, quand on y réfléchit bien.

Avec le temps, j'ai remarqué que les gens la regardaient d'un autre œil quand on poussait un Caddie dans la supérette du quartier ou, durant l'année qui a suivi le divorce, quand elle nous déposait à l'école, ma sœur et moi, dans son uniforme blanc d'infirmière, avec ses chaussures blanches et ses bas blancs. Elle sortait toujours de la voiture pour nous donner un baiser et j'étais infiniment conscient que les autres mères nous dévisageaient alors. Roberta et moi avons fini par être sur nos gardes, approchant le portail de l'école sur la pointe des pieds.

« Donne-moi un baiser, m'a-t-elle demandé un jour en se penchant.

– Non, ai-je répondu cette fois en m'écartant.

– Comment ça, non ?

– Eh bien... » Je me suis recroquevillé et j'ai grimacé. « Eh bien, non. »

Incapable de la regarder, j'ai fixé mes pieds à la place. Elle est restée là un moment avant de se redresser. Je l'ai entendue renifler. Se passer la main dans les cheveux.

Quand j'ai levé les yeux, sa voiture s'était éloignée.

UNE APRÈS-MIDI où je jouais au ballon avec un copain sur le parking de l'église, deux bonnes sœurs ont ouvert la porte de derrière. Mon copain et moi nous sommes figés sur place, convaincus qu'on avait dû faire quelque chose de mal. Mais les bonnes sœurs m'ont fait signe d'avancer. Elles tenaient chacune un plateau en aluminium. En m'approchant, j'ai senti l'odeur du pain de viande et des haricots verts.

« Tiens, m'a dit l'une d'elles en me tendant un plateau. Pour ta famille. »

J'avais du mal à comprendre pourquoi elles me donnaient à manger. Mais pas question de répondre « Non merci » à une religieuse. Alors j'ai pris les plateaux et je suis rentré à la maison, convaincu que ma mère avait dû passer une commande spéciale.

« Qu'est-ce que c'est que ça ? m'a-t-elle demandé à mon arrivée.

– C'est les bonnes sœurs qui me l'ont donné. »

Elle a soulevé le papier sulfurisé. Et reniflé.

« C'est toi qui leur as demandé ?

– Non. Je jouais au ballon.

– Tu ne leur as rien demandé ?

– Non.

– Parce qu'on n'a pas besoin de nourriture, Charley. On n'a pas besoin qu'on nous fasse l'aumône, si c'est ce que tu crois. »

Je me suis mis sur la défensive. Je ne comprenais pas vraiment le mot « aumône », si ce n'est qu'apparemment on ne la faisait pas à tout le monde.

« Je n'ai rien demandé ! ai-je protesté. Je n'aime même pas les haricots verts ! »

On s'est dévisagés.

« C'est pas ma faute », ai-je protesté.

Elle m'a débarrassé des plateaux et les a balancés dans l'évier. À l'aide d'une grosse cuillère, elle a écrasé le pain de viande dans le broyeur. Et elle a fait pareil avec les haricots verts. Elle s'agitait tellement que je n'arrivais pas à détacher mon regard d'elle pendant qu'elle pilonnait frénétiquement tant de nourriture dans un tout petit trou. Elle a ouvert le robinet. Le broyeur a rugi. Quand le son est devenu plus aigu, signalant par là que c'était fini, elle a retiré le bouchon protecteur et fermé le robinet. Puis elle s'est essuyé les mains sur le devant de son tablier.

« Bon, m'a-t-elle lancé en se tournant vers moi, tu as faim ? »

LA PREMIÈRE FOIS où j'ai entendu le mot « divorcé », c'était après un match de base-ball de l'American Legion. Les entraîneurs jetaient des battes à l'arrière d'un break et l'un des pères de l'autre équipe a pris la mienne par erreur. Je me suis précipité en lui disant : « Hé, c'est la mienne !

– Ah bon ? a-t-il dit en la faisant rouler dans sa paume.

– Oui, je l'ai apportée sur mon vélo. »

Il aurait pu mettre ma parole en doute puisque la plupart des gamins étaient accompagnés par leur père.

« O.K. », a-t-il lancé en me la rendant. Puis il a plissé les yeux et m'a demandé : « C'est toi, le gosse de la divorcée, hein ? »

Je l'ai regardé, muet. *Divorcée ?* La consonance en était exotique, alors que je ne pensais pas à ma mère en ces termes-là du tout. Avant, on me demandait : « Tu es le fils de Len Benetto, c'est bien ça ? », et je ne suis pas sûr de l'appellation qui me dérangeait le plus, être le fils de ce nouveau mot ou ne plus être le fils des anciens.

« Alors, comment va ta maman ? » m'a-t-il demandé.

J'ai haussé les épaules.

« Elle va bien.

– Ah bon ? »

Ses yeux ont fait le tour du terrain puis sont revenus vers moi.

« Est-ce que je peux passer à la maison lui donner un coup de main ? »

Il me dévisageait. J'avais l'impression de n'être plus qu'un obstacle entre ma mère et lui.

« Elle va bien », ai-je insisté.

Il a hoché la tête. Un hochement qui ne m'a pas inspiré confiance.

ET SI TEL EST le jour où le mot « divorcé » m'est devenu familier, je me souviens

clairement de celui où il m'est devenu
odieux. Ma mère était rentrée du travail et
m'avait envoyé à la supérette pour y acheter
du ketchup et des petits pains. J'avais décidé
de couper par les jardins de derrière. Quand
je suis arrivé à une maison en brique, j'ai vu
deux gamins plus âgés, blottis là, que je
connaissais de l'école ; l'un d'eux, un garçon
bovin prénommé Leon, cachait quelque
chose contre son torse.

« Salut, Benetto, m'a-t-il lancé.

– Salut, Leon. »

J'ai regardé l'autre gamin.

« Salut, Luke.

– Salut, Chick.

– Où tu vas ? m'a demandé Leon.

– Chez Fanelli.

– Ah bon ?

– Ouais. »

Il a desserré son étreinte. Il tenait des
jumelles.

« C'est pour quoi faire ? » lui ai-je demandé.

Il s'est retourné vers les arbres.

« Un truc de l'armée, des jumelles.

– Ça grossit vingt fois, a expliqué Luke.

– Fais-moi voir. »

Il me les a tendues et j'ai regardé avec. Les
bords étaient chauds. J'ai orienté les jumelles

vers le haut puis vers le bas, captant tour à tour les couleurs floues du ciel, puis les pins, puis mes pieds.

« Ils s'en servent en temps de guerre, pour repérer l'ennemi, m'a expliqué Luke.

– Elles sont à mon père », a ajouté Leon.

Je détestais entendre ce mot. Je les lui ai rendues.

« À bientôt », ai-je lancé.

Leon a hoché la tête.

« À bientôt. »

J'ai continué ma route, mais un truc me turlupinait. À cause de quelque chose dans la façon dont Leon s'était tourné vers les arbres ; il l'avait fait trop vite, vous voyez ce que je veux dire ? Alors, j'ai fait demi-tour derrière la maison et me suis caché dans les haies. Et encore aujourd'hui, ce que j'ai vu me dérange.

Ils étaient blottis tous les deux juste à côté et ils ne regardaient plus les arbres mais en direction de ma maison, en se passant les jumelles. J'ai suivi leur regard jusqu'à la fenêtre de la chambre de ma mère. Où j'ai vu son ombre bouger, bras levés au-dessus de la tête, et je me suis tout de suite dit : « Elle est rentrée du travail, elle se change. » Je me suis senti frissonner. Quelque chose m'a traversé des pieds à la tête.

Pour un jour de plus

« Ouh là là, ai-je entendu Leon roucouler, regarde-moi la *divorcée...* »

Je ne pense pas avoir jamais éprouvé une fureur pareille, jamais à ce jour et plus jamais depuis. Je me suis précipité vers ces garçons les yeux injectés de sang et, en dépit de leur grande taille, je leur ai sauté dessus par-derrière, attrapant Leon par le cou puis rouant de coups tout ce qui bougeait, absolument tout.

Marcher

MA MÈRE A ENFILÉ son manteau en tweed blanc et l'a ajusté pour qu'il tombe correctement. Elle avait passé ses dernières années à coiffer des vieilles femmes clouées chez elles, allant de maison en maison pour respecter leurs rituels de beauté. Elle m'a dit qu'elle avait trois « rendez-vous » de ce genre à honorer aujourd'hui. Je l'ai suivie dehors, toujours hébété, en passant par le garage.

« Tu veux qu'on prenne par le lac, Charley ? m'a-t-elle demandé. C'est tellement agréable à cette heure-ci. »

J'ai hoché la tête sans mot dire. Combien de temps s'était-il écoulé depuis que je m'étais retrouvé étendu sur cette herbe mouillée à fixer une épave du regard ? Combien de temps avant que quelqu'un me repère ? Je sentais toujours du sang dans la bouche et la douleur m'envahissait par vagues ; une minute je ne ressentais rien, et la suivante tout me faisait mal. Mais, d'une façon ou d'une autre, j'étais bel et bien ici, marchant dans mon ancienne rue, avec à la main le sac violet en vinyle de ma mère contenant tous ses accessoires.

« Maman, ai-je fini par grommeler. Comment... ?

– Comment quoi, mon ange ? »

Je me suis raclé la gorge.

– Comment tu peux *être* ici ?

– J'habite ici », m'a-t-elle répondu.

J'ai secoué la tête.

« Non, tu n'y habites plus », ai-je chuchoté.

Elle a levé les yeux vers le ciel.

« Tu sais, le jour où tu es né, il faisait le même temps. Frais mais agréable. C'est tard dans l'après-midi que j'ai senti les contractions, tu te souviens ? (Comme si j'allais répondre : « Oh oui ! je me souviens. ») Ce docteur. Comment il s'appelait déjà ? Rapposo ? Dr Rapposo. Il m'a informée que je devais accoucher avant 18 heures parce que sa femme lui préparait son plat préféré et qu'il ne voulait pas rater ça. »

J'avais déjà entendu l'histoire.

« Du poisson pané, ai-je grommelé.

– Effectivement. Tu te rends compte ? Un truc tellement simple. À le voir aussi pressé, on aurait pu s'attendre à un steak. Ah bah ! je m'en fichais. Il l'a eu, son poisson pané. »

Elle m'a regardé avec un sourire.

« Et moi, je t'ai eu, toi. »

On a avancé encore un peu plus. Le sang martelait mes tempes. Je les ai frottées avec ma paume.

« Qu'est-ce qui s'est passé, Charley ? Tu as mal ? »

La question était tellement simple qu'il était impossible d'y répondre. Mal ? Par quoi commencer ? L'accident ? Le saut ? Les trois jours passés à boire ? Le mariage ? Mon couple ? La dépression ? Les huit dernières années ? Quand est-ce que je n'avais *pas* mal ?

« Ça ne va pas très fort, maman », lui ai-je répondu.

Elle a continué de marcher, inspectant l'herbe et le trottoir.

« Tu sais, pendant les trois premières années de mon mariage, je souhaitais tellement un enfant. À cette époque, trois ans pour tomber enceinte, c'était beaucoup. Les gens croyaient que j'avais quelque chose qui clochait. Moi aussi, d'ailleurs. »

Elle a soupiré. « Impossible d'imaginer une vie sans enfants. Une fois même, j'ai... Attends. Voyons voir. »

Elle m'a guidé vers le gros arbre au coin de notre rue.

« C'était tard un soir, je n'arrivais pas à dormir », m'a-t-elle expliqué. Elle a tapoté l'écorce de la main puis l'a frottée, comme si elle déterrait un vieux trésor. « Ah! C'est toujours là. »

Je me suis penché. Les mots « JE VOUS EN PRIE » avaient été gravés sur le côté. En petites lettres et de travers. Il fallait regarder attentivement, mais c'était là. « JE VOUS EN PRIE. »

« Roberta et toi n'étiez pas les seuls à graver, m'a-t-elle dit en souriant.

– C'est quoi?

– Une prière.

– Pour un enfant? »

Elle a hoché la tête.

« Pour moi? »

Deuxième hochement.

« Sur un arbre? »

– Les arbres passent leur journée à regarder vers Dieu. »

J'ai fait une grimace.

« Je sais. » Elle a levé les bras en guise d'impuissance.

« Tu es tellement kitsch, maman. »

Elle a de nouveau touché l'écorce puis émis un petit « hmm ». Elle semblait prendre en compte tout ce qui s'était passé depuis cette après-midi où j'étais venu au monde. Je me suis demandé quel son elle aurait émis si elle avait eu connaissance de *toute* mon histoire.

« Et donc, a-t-elle ajouté en se détachant, maintenant, tu sais à quel point tu as pu être désiré, Charley. Les enfants l'oublient parfois. Ils se voient comme un fardeau au lieu de se voir comme un vœu exaucé. »

Elle a tiré sur son manteau, qu'elle a lissé. J'avais envie de pleurer. Un vœu exaucé ? Depuis combien de temps n'avait-on pas parlé de moi en de tels termes ? J'aurais dû lui en être reconnaissant, et honteux de la façon dont je m'étais tourné le dos à moi-même. Au lieu de cela, vous savez de quoi j'avais envie ? De boire. Je mourais d'envie de retrouver l'obscurité d'un bar, le goût de cet alcool qui anesthésie, de regarder le verre vide en sachant que plus vite il serait descendu et plus vite il m'emporterait.

Je me suis avancé vers elle et j'ai posé la main sur son épaule ; je m'attendais vaguement à ce que ma main la traverse, comme dans les films de fantômes. Mais non. Elle s'est posée là et j'ai bel et bien senti son corps.

« Tu es morte », ai-je laissé échapper.

Une brise soudaine a soulevé des feuilles sur un tas.

« Tu fais trop d'histoires pour rien », m'a-t-elle répondu.

AUX DIRES DE TOUS, Posey Benetto parlait bien. Et, contrairement à beaucoup de gens qui s'expriment bien, elle écoutait bien aussi. Que ce soit les patients à l'hôpital ou les voisines de transat par les chaudes journées d'été. Elle adorait qu'on lui raconte des blagues et posait la main sur l'épaule de quiconque la faisait rire. Elle était bon public. Et charmante. C'est comme ça que les gens la voyaient : la charmante Posey.

De toute évidence, ça n'a duré que tant que les grandes mains de mon père lui ont entouré les épaules. Une fois qu'elle a été divorcée, libérée de son étreinte, les autres femmes n'ont pas voulu de ce charme-là à proximité de leurs maris.

Et donc ma mère a perdu toutes ses amies. Elle aurait eu la peste que ça n'aurait pas été pire. Les parties de cartes auxquelles mon père et elle jouaient avec les voisins ? Terminées. Les invitations aux anniversaires ? *Idem.* Lors de la fête nationale, on sentait l'odeur du charbon partout, et pourtant personne ne nous invitait à un seul barbecue. À Noël, on voyait des voitures garées devant les maisons et des adultes en grande conversation derrière les fenêtres en saillie. Pendant ce temps-là, ma mère était avec nous, à la cuisine, à préparer un gâteau.

« Tu ne vas pas à cette soirée ? lui demandait-on.

– On en fait une ici. »

Elle prétendait que c'était son choix. Juste nous trois. Pendant longtemps, j'ai cru que la Saint-Sylvestre était une fête de famille conçue pour verser du sirop au chocolat sur des glaces et s'amuser avec des cotillons devant la télé. À l'adolescence, ça m'a étonné d'apprendre que la plupart de mes copains avaient profité de cette nuit-là pour dévaliser le placard à alcools de leurs parents parce que ces derniers s'étaient habillés en grande pompe et s'étaient fait la belle en début de soirée.

« Tu veux dire que tu restes coincé avec ta mère pour le réveillon du Nouvel An ? m'ont demandé mes copains.

– Ouais », ai-je grogné.

Mais, à la vérité, c'était plutôt ma charmante mère qui était coincée avec nous.

Les Fois Où Je N'ai *Pas* Défendu Ma Mère

Au moment où mon père nous quitte, j'ai déjà compris pour le père Noël; mais Roberta n'a que six ans et elle observe tout le rituel : lui laisser des biscuits, un petit mot, grimper sagement dans son lit la veille de Noël, puis se glisser sous la fenêtre, tendre le doigt vers les étoiles et demander : « C'est un renne? »

Le premier mois de décembre sans mon père, ma mère veut faire quelque chose de spécial. Elle trouve une tenue de père Noël complète : la veste et les pantalons rouges, les bottes et la fausse barbe, la totale. La veille de Noël, elle ordonne à Roberta d'aller se coucher à 21 h 30, et de ne pas s'approcher du salon à 22 heures sous quelque prétexte que ce soit, ce qui veut bien sûr dire que Roberta saute du lit à moins cinq et se plante tout près, les yeux ronds comme un hibou.

Je la suis, avec une torche. On s'assied dans l'escalier. Tout à coup, voilà la pièce plongée dans l'obscurité, puis on entend des bruissements. Ma sœur halète tellement fort que je plonge la tête. Puis j'allume vite ma torche. Roberta chuchote : « *Non, Chick !* » *et je l'éteins tout de suite, mais, étant à l'âge bête, je la rallume aussi sec et la braque sur ma mère dans son costume de père Noël, avec une taie d'oreiller sur l'épaule en guise de sac. Elle se tourne et essaye de mugir :* « Ho ! Ho ! Ho ! Qui va là ? » *Ma sœur plonge la tête mais, pour une raison que j'ignore, je garde la torche braquée sur ma mère, droit sur son visage barbu, et il lui faut donc se protéger les yeux de sa main libre.*

« Ho ! Ho ! » *lance-t-elle à nouveau.*

Roberta est recroquevillée sur elle-même et jette un œil par-dessus ses poings fermés. Elle chuchote : « *Chick, éteins ! Tu vas lui faire peur !* » *Mais moi, je ne vois que l'absurdité de la situation, comment à partir de maintenant on va devoir faire semblant en permanence, faire semblant que la tablée est pleine, que le père Noël n'est pas une femme, et que nous sommes une famille alors que nous ne le sommes plus qu'aux trois quarts.*

« C'est maman, dis-je platement.

— Ho ! Ho ! Ho ! fait cette dernière.

— C'est pas vrai ! rétorque Roberta.

— Si, c'est elle, bécasse. C'est maman. Le père Noël n'est pas une fille, andouille. »

Pour un jour de plus

Je garde la torche braquée sur ma mère et je vois sa posture changer, sa tête tomber vers l'arrière, ses épaules s'affaisser, comme un père Noël en cavale qui serait rattrapé par la police. Roberta se met à pleurer. Je vois bien que ma mère a envie de me crier après, mais elle ne le peut pas, ça trahirait son mensonge ; alors elle me fixe entre son bonnet et sa barbe en coton et je sens l'absence de mon père planer dans toute la pièce. Pour finir, elle laisse tomber la taie d'oreiller par terre, pleine de petits cadeaux, et sort par la porte d'entrée sans plus de ho, ho, ho. Ma sœur repart vers son lit en courant et en pleurant. Et moi, je reste assis sur l'escalier avec ma torche qui illumine une pièce vide et un arbre.

Rose

ON A CONTINUÉ À MARCHER dans notre ancien quartier. J'avais fini par vaguement accepter cette situation de... comment dire? de folie temporaire.

J'accompagnerais ma mère partout où elle aurait envie d'aller jusqu'à ce que mes actes me rattrapent. Pour être honnête, une partie de mon être n'avait aucune envie que ça se termine. Quand un proche décédé vous apparaît, c'est votre cerveau qui le repousse, pas votre cœur.

Son premier « rendez-vous » habitait dans une petite maison en brique, au milieu de Lehigh Street, à deux pas de chez nous. Il y avait un auvent métallique au-dessus du perron et un bac à fleurs rempli de galets. L'air matinal semblait incroyablement vif et une lumière étrange définissait trop clairement les contours de la scène, comme si elle avait été dessinée à l'encre. Je n'avais toujours pas croisé âme qui vive, mais il est vrai aussi que l'on était en milieu de matinée et que la plupart des gens travaillaient.

« Frappe », m'a dit ma mère.

Je me suis exécuté.

« Elle est sourde. Plus fort. »

J'ai donné un petit coup sec.

« Encore. »

J'ai cogné.

« Pas si fort! »

Pour finir, la porte s'est ouverte. Une femme âgée, vêtue d'une blouse et tenant un déambulateur, a avancé les lèvres pour nous offrir un sourire désolé.

« Bonjourrr, Rose, a chantonné ma mère. J'ai amené un jeune homme avec moi.

– Oooh », a fait Rose. Sa voix était tellement haut perchée qu'on aurait dit un oiseau. « Oui, je vois.

– Tu te souviens de mon fils, Charley?

– Oooh. Oui. Je vois. »

Elle a reculé d'un pas. « Entrez. Entrez. »

Sa petite maison était rangée et, de toute évidence, figée dans les années 1970. La moquette était bleu marine et les canapés recouverts de plastique. On l'a suivie jusqu'à la buanderie. Nos pas étaient bizarrement

petits et lents tandis que nous avancions derrière Rose et son déambulateur.

« Tout va bien, Rose ? lui a demandé ma
mère.

– Oooh, oui. Maintenant que vous êtes ici.

– Tu te souviens de mon fils Charley ?

– Oooh, oui. Bel homme, a-t-elle répondu
alors qu'elle me tournait le dos.

– Et comment vont tes enfants, Rose ?

– Quoi donc ?

– Tes enfants ?

– Ah ! » Elle a agité la main. « Une fois par
semaine, ils viennent voir comment je vais.
Ça a tout l'air de ressembler à une corvée. »

À ce stade-là, j'avais du mal à situer Rose.
Était-elle une apparition ou une vraie personne ? À la façon dont le chauffage était
monté, et à cause de l'odeur de quelque
chose de grillé pour le petit déjeuner, sa maison me faisait l'effet d'être bel et bien réelle.
On est entrés dans la buanderie, où une
chaise était installée devant l'évier. Une radio
était allumée et on entendait du Big Band.

« Tu pourrais m'arrêter ça, jeune homme ?
m'a demandé Rose sans se retourner. La
radio. Parfois, je la mets trop fort. »

J'ai trouvé le bouton du volume et l'ai
baissé.

« C'est affreux, vous avez entendu ? a dit Rose. Un accident près de l'autoroute. Ils en ont parlé aux nouvelles. »

Je me suis figé sur place.

« Une voiture a heurté un poids lourd puis un grand panneau. Qu'elle a fait complètement tomber. C'est terrible. »

J'ai dévisagé ma mère, m'attendant à ce qu'elle se tourne vers moi et exige ma confession. *Avoue ce que tu as fait, Charley.*

« Que veux-tu, Rose, les nouvelles sont déprimantes, a-t-elle dit en continuant de sortir son matériel de son sac.

– Oooh, oui, drôlement. »

Attendez. Elles étaient au courant ? Ou pas ? Je sentais une montée de paranoïa, comme si quelqu'un était sur le point de taper à la fenêtre et d'exiger que je sorte.

Au lieu de cela, Rose a tourné le déambulateur, puis ses genoux, puis ses maigres épaules dans ma direction.

« C'est bien de passer une journée avec sa mère, a-t-elle dit. Les enfants devraient faire ça plus souvent. »

Elle a posé une main tremblante sur le dossier de la chaise devant l'évier.

« Et maintenant, Posey, est-ce qu'il y a encore moyen de me rendre belle ? »

PEUT-ÊTRE VOUS DEMANDEZ-VOUS comment ma mère est devenue coiffeuse. Comme je l'ai déjà dit, elle avait été infirmière et adorait vraiment son métier. Elle avait cette réserve infinie de patience permettant de faire des pansements ou des prises de sang, et aussi de répondre de manière rassurante et enjouée aux innombrables questions. Beaucoup de gens disent aimer « aider les gens ». Ma mère, non. Pour elle, c'était une évidence. D'écouter les lamentations de ses malades pendant des heures, ou d'encaisser les vannes des plus audacieuses. Ses patients aimaient qu'une jeune et jolie femme s'occupe d'eux. Et ses patientes lui étaient reconnaissantes de leur brosser les cheveux ou de les aider à mettre du rouge à lèvres. Je doute que ç'ait été très courant à l'époque, mais ma mère a appliqué du blush ou de l'eye-liner à pas mal de malades de notre hôpital. Elle disait que ça les aidait à se sentir mieux. Et que c'était tout de même bien ça le but d'un séjour à l'hôpital, non ? « On n'y vient pas pour y dépérir », disait-elle.

Parfois, au dîner, son regard se faisait distant et elle parlait de « cette pauvre Mme Halverson » et de son emphysème, ou de « ce pauvre Roy Endicott » et de son diabète. On ne connaissait pas ces gens, mais ses comptes-rendus nocturnes nous les rendaient familiers, on apprenait de quoi ils souffraient et qui venait leur rendre visite. De temps à autre, ma mère cessait de parler d'une personne, et au bout de quelques jours ma sœur demandait : « Qu'est-ce que la vieille Mme Golinski a fait aujourd'hui ? » Ma mère lui répondait alors : « Elle est à présent chez elle, ma chérie. » Mon père levait un sourcil et la regardait, puis il retournait à sa nourriture. C'est en grandissant que j'ai compris que « chez elle » voulait dire « morte ». C'était généralement à ce moment-là qu'il changeait de sujet de toute façon.

IL N'Y AVAIT QU'UN seul hôpital dans la région et, depuis que mon père était parti, ma mère essayait de faire un maximum d'heures, ce qui voulait dire qu'elle ne pouvait pas aller prendre ma sœur à l'école. Alors, la plupart du temps, c'est moi qui allais chercher Roberta, la ramenais à la maison, puis repartais sur mon vélo pour mon entraînement de base-ball.

« Tu crois que papa sera là aujourd'hui ? me demandait-elle.

— Non, bécasse, pourquoi il serait là ?

– Parce que l'herbe a poussé et qu'il doit la tondre. Ou bien : Parce qu'il y a beaucoup de feuilles à ratisser. Ou encore : Parce que c'est jeudi et que c'est le jour où maman fait des côtelettes d'agneau.

– Je ne pense pas que ce soit une raison valable. »

Elle attendait avant de demander l'évidente suite.

« Alors, pourquoi il est parti, Chick ?

– Je sais pas ! Il l'a fait, c'est tout.

– C'est pas une bonne raison non plus », marmonnait-elle.

Une après-midi, j'avais douze ans et elle, sept, ma sœur et moi sommes sortis de la cour de récréation et avons entendu un klaxon.

« C'est maman ! » s'est exclamée Roberta en courant vers elle.

Elle n'est pas descendue de la voiture, ce qui était étrange. Ma mère trouvait impoli de klaxonner pour attirer l'attention des gens ; des années plus tard, elle préviendrait ma sœur qu'un garçon qui reste dans sa voiture un soir de rendez-vous plutôt que de venir sonner à la porte ne vaut pas la peine qu'elle sorte avec. Mais voici qu'aujourd'hui *elle* restait au volant, alors j'ai suivi ma sœur, traversé la rue et grimpé dans la voiture.

Ma mère n'avait pas l'air bien. Ses yeux étaient cernés et elle n'arrêtait pas de se racler la gorge. Elle ne portait pas sa tenue d'infirmière.

« Pourquoi t'es ici ? » lui ai-je demandé.

C'était comme ça que je lui parlais à l'époque.

« Donne-moi un baiser. »

J'ai penché la tête vers elle et l'ai laissée m'embrasser les cheveux.

« Ils t'ont autorisée à sortir du travail plus tôt ? a demandé Roberta.

– Oui, mon cœur, c'est à peu près ça. »

Elle a reniflé. S'est regardée dans le rétroviseur et a essuyé le noir sous ses yeux.

« Que diriez-vous d'une glace ? a-t-elle proposé.

– Ouais ! Ouais ! a fait ma sœur.

– J'ai entraînement, ai-je répondu.

– Oh ! et tu ne peux pas le sauter ?

– Impossible. On ne peut pas rater l'entraînement.

– Qui a dit ça ?

– Les entraîneurs, tout le monde.

– Je veux y aller ! Je veux une glace ! a protesté Roberta.

– Juste une petite glace vite fait ?

– Non et non ! D'accord ? »

J'ai levé la tête et l'ai regardée droit dans les yeux. Et ce que j'y ai vu, je ne crois pas l'avoir jamais vu à ce jour. Ma mère avait l'air perdue.

J'apprendrai plus tard qu'elle venait d'être licenciée. Que certains membres du personnel hospitalier trouvaient qu'elle détournait trop l'attention des docteurs, maintenant qu'elle était célibataire. Qu'il y avait eu un incident avec un docteur plus âgé et que ma mère s'était plainte de son comportement déplacé. Sa récompense pour avoir tenté de faire valoir ses droits avait été que « ça n'allait plus coller ».

Et vous savez ce qui est étrange ? D'une certaine manière, j'ai su tout ça à la minute où j'ai plongé dans ses yeux. Pas les détails, bien sûr. Mais un regard perdu est un regard perdu, j'en savais quelque chose pour en avoir déjà eu moi-même. Et je la détestais pour ça. Je la détestais d'être aussi faible que moi.

Je suis sorti de la voiture et j'ai lancé : « Je ne veux pas de glace. Je vais à l'entraînement. » Alors que je traversais la rue, ma sœur a crié par la fenêtre : « Tu veux qu'on t'en rapporte une ? » Et je me suis dit : Ce que tu es bête, Roberta, les glaces, ça fond.

Les Fois Où Je N'ai *Pas* Défendu Ma Mère

Elle a découvert mes cigarettes. Elles sont dans mon tiroir à chaussettes. J'ai quatorze ans.

« C'est ma chambre ! crié-je.

— Charley ! On en a déjà discuté ! Je t'interdis de fumer ! C'est la pire des choses que tu puisses faire ! C'est quoi, ton problème ?

— Tu n'es qu'une hypocrite !

— Comment oses-tu !

— Tu fumes bien, toi ! Donc, t'es une hypocrite !

— Retire ce que tu viens de dire !

— Et pourquoi ça, maman ? Tu veux toujours que je fasse des phrases avec des grands mots. En voilà une. Tu fumes. Et moi, je ne peux pas. Ma mère est une hypocrite ! »

Je m'agite en criant ces mots, ce qui semble me donner de la force, de la confiance en moi, comme si elle ne pouvait pas me frapper. Ça, c'est après qu'elle a pris un boulot au salon de coiffure et qu'au lieu de sa blouse blanche elle s'habille à la mode pour aller au travail – comme avec le corsaire et le chemisier turquoise qu'elle portait en ce moment, par exemple. Ces vêtements mettent sa silhouette en valeur et je les déteste.

« Je te les confisque, crie-t-elle en attrapant les cigarettes. Et pas question que tu sortes, jeune homme !

– Je m'en fiche ! » Je lui jette un regard furieux. « Et puis pourquoi tu t'habilles comme ça ? Tu me rends malade !

– Je quoi ? » Voilà qu'elle est sur moi à présent, à me gifler. « Je QUOI ? Je te rends (gifle) malade ? Je te (gifle) rends MALADE ? (gifle) C'est bien ce que tu (gifle) as dit ? (gifle, gifle) C'est bien ça ? C'est ça, ce que tu PENSES DE MOI ?

– Non ! Non ! Arrête ! »

Je me couvre la tête et cherche un refuge. Je descends l'escalier en courant et sors par le garage. Je reste loin de la maison jusqu'à la nuit tombée. Quand je finis par y retourner, la porte de sa chambre est fermée et il me semble l'entendre pleurer. Je vais dans la mienne. Les cigarettes sont toujours là. J'en allume une et me mets à pleurer aussi.

Des enfants qui ont honte

ROSE AVAIT LA TÊTE EN ARRIÈRE dans l'évier pendant que ma mère l'arrosait doucement avec de l'eau sortant d'une douchette vissée au robinet. Je n'avais jamais vu ma mère faire ça jusqu'ici, mais, de toute évidence, Rose et elle avaient tout un rituel parfaitement mis au point. Elles avaient glissé des oreillers et des serviettes de façon à ce que la tête de Rose soit juste bien et que ma mère puisse passer la main restée libre dans ses cheveux. Elle lui a mouillé toute la tête pendant que Rose gardait les yeux fermés.

« C'est assez chaud, Rose ? lui a demandé ma mère.

– Ooh, oui, ma chère. C'est parfait. » Elle a fermé les yeux. « Tu sais, Charley, ta mère a commencé à s'occuper de mes cheveux quand j'étais beaucoup plus jeune.

– Tu es jeune dans ton cœur, Rose, a rétorqué ma mère.

– C'est bien le seul endroit qui le soit. »

Et elles ont ri.

« Quand j'allais encore chez le coiffeur, je ne voulais que Posey. Si elle n'était pas là, je revenais le lendemain. On me demandait : "Vous ne voulez pas quelqu'un d'autre ? " Mais je répondais : " Personne ne me touchera à part Posey. "

– Tu es adorable, Rose, a dit ma mère. Pourtant, les autres filles étaient compétentes.

– Oh ! ma chère, chut. Laisse-moi en rajouter. Ta mère, Charley, trouvait toujours le temps pour moi. Puis, j'ai eu du mal à me déplacer, c'est elle qui est venue jusque chez moi une fois par semaine. »

De ses doigts tremblants, elle a tapoté l'avant-bras de ma mère.

« Merci, ma chérie.

– Avec plaisir, Rose.

– Tu étais tellement belle. »

J'ai observé ma mère qui souriait. Comment pouvait-elle être aussi fière de laver des cheveux dans un évier ?

« Tu devrais voir la fille de Charley, Rose, lui a-t-elle répondu. Une vraie merveille. Elle en fait chavirer, des cœurs.

— Ah bon ? Et comment elle s'appelle ?

— Maria. Pas vrai que c'est une briseuse de cœurs, Charley ? »

Que répondre à ça ? La dernière fois qu'elles s'étaient vues, c'était le jour du décès de ma mère, huit ans auparavant, Maria était encore adolescente. Comment pouvais-je lui expliquer ce qui s'était passé depuis ? Que j'étais sorti de la vie de ma fille ? Que son nom de famille avait changé ? Que j'étais tombé tellement bas que j'avais été tenu à l'écart de son mariage ? Elle m'aimait, elle m'aimait vraiment pourtant. Quand je rentrais du travail, elle courait vers moi, les bras levés, en criant : « Papa, prends-moi dans tes bras ! »

Que s'était-il passé ?

« Ma fille a honte de moi, ai-je fini par marmonner.

— Ne dis pas de bêtises », a lancé ma mère. Elle m'a regardé puis a fait mousser du shampoing entre ses mains. J'ai baissé la tête. J'avais terriblement envie d'un verre. Je sentais ses yeux ; et ses doigts pétrir la chevelure de Rose. De toutes les choses dont j'avais honte maintenant que j'étais face à elle, avoir été un mauvais père était de loin la pire.

« Tu sais quoi, Rose ? a-t-elle lancé tout à coup. Charley ne m'a jamais autorisée à lui

126

couper les cheveux. Incroyable, non ? Il mettait un point d'honneur à aller chez le coiffeur.

– Et pourquoi ça, ma chérie ?

– Oh ! tu sais, à un moment donné ils arrivent toujours à un âge où tout d'un coup c'est " fiche-moi la paix, maman, fiche-moi la paix ".

– Les enfants ont honte de leurs parents, a dit Rose.

– Les enfants ont honte de leurs parents », a répété ma mère.

Et c'était vrai. Adolescent, je l'avais repoussée. Je refusais de m'asseoir à côté d'elle au cinéma. Ses baisers me mettaient au supplice. Je n'étais pas à l'aise avec sa féminité et je lui en voulais d'être la seule divorcée du quartier. J'avais envie qu'elle se comporte comme les autres mères, qu'elle porte une robe d'intérieur, fasse des albums de fleurs séchées, ou alors des brownies.

« Parfois, vos enfants vous balancent de solides méchancetés, hein, Rose ? Et vous vous demandez : " Mais d'où il sort, celui-là ? " »

Rose a gloussé.

« En règle générale, c'est parce qu'ils ont mal. Qu'ils ont besoin de trouver une solution. »

Elle m'a lancé un regard. « Souviens-toi d'une chose, Charley. Parfois, les enfants veulent que tu aies mal parce que eux ont mal de leur côté. »

Faire mal parce qu'on a mal de son côté? Était-ce là ce que j'avais fait? Avais-je voulu voir s'inscrire sur le visage maternel le rejet paternel dont je souffrais? Et est-ce que ma fille avait fait pareil avec moi?

« Ça ne signifiait rien en particulier, maman, ai-je chuchoté.

– Quoi?

– La honte. Toi, tes vêtements ou... ta situation. »

Elle a rincé le shampoing encore sur ses mains puis a dirigé l'eau vers la tête de Rose.

« Un enfant qui a honte de sa mère, c'est juste un enfant qui n'a pas encore assez vécu. »

IL Y AVAIT un coucou dans le salon et il a rompu le silence avec de petits carillons et un bruit mécanique. Ma mère coupait à présent les cheveux de Rose à l'aide d'un peigne et de ciseaux.

Le téléphone a sonné.

« Mon cher Charley, m'a demandé Rose, est-ce que tu pourrais y répondre pour moi? »

Je suis allé dans l'autre pièce, suivant la sonnerie jusqu'à ce que je repère un téléphone accroché au mur en face de la cuisine.

« Allô ? » ai-je fait dans le combiné.

Et là, tout a basculé.

« CHARLES BENETTO ? »

C'était une voix d'homme qui criait.

« CHARLES BENETTO ! VOUS M'EN-TENDEZ, CHARLES ? »

Je me suis figé.

« CHARLES ? JE SAIS QUE VOUS M'EN-TENDEZ ! VOUS AVEZ EU UN ACCIDENT ! PARLEZ-NOUS ! »

Les mains tremblantes, j'ai replacé le combiné au mur.

Les Fois Où Ma Mère M'a Défendu

Cela fait trois ans que mon père est parti. Je suis réveillé au beau milieu de la nuit par le bruit que fait ma sœur en courant dans le couloir. Elle fait des allers-retours vers la chambre de ma mère. J'enfonce la tête dans l'oreiller, tentant de sombrer à nouveau dans le sommeil.

« Charley ! » Tout à coup, voici ma mère dans ma chambre, et qui chuchote : « Charley ! Où est ta batte de base-ball ?

— Quoi ? grogné-je en haussant les sourcils.

— Chut ! fait ma sœur.

— Une batte, dit ma mère.

— Pourquoi tu veux une batte ?

— Chut, fait ma sœur. Elle a entendu quelque chose.

— Il y a un voleur dans la maison ?

— Chut », fait ma sœur.

Mon rythme cardiaque s'accélère. Enfants, on avait entendu parler de « voleurs à la sauvette », mais aussi de cambrioleurs qui pénètrent dans les maisons et ligotent leurs habitants. Je m'imagine tout de suite quelque chose de pire, un intrus dont le seul but est de nous tuer tous.

« Charley ? La batte ? »

Je tends le doigt vers le placard. Ma poitrine se soulève lourdement. Elle trouve ma batte fétiche et ma sœur la lâche pour sauter dans mon lit. J'enfonce mes mains dans le matelas, pas sûr du rôle que je devrais jouer.

Ma mère se glisse par la porte. « Restez là », chuchote-t-elle. J'ai envie de lui dire qu'elle tient mal la batte. Mais elle a déjà disparu.

À mes côtés, ma sœur tremble. J'ai honte d'être coincé avec elle, alors je me glisse hors du lit puis vers la porte, bien qu'elle tire tellement fort sur mes pantalons de pyjama qu'ils manquent de se déchirer.

Dans le couloir, j'entends le moindre craquement de la maison, et dans chacun j'imagine un voleur armé d'un couteau. J'entends ce qui semble être des bruits assourdis. J'entends des pas. J'imagine un gros homme bestial et rougeaud montant l'escalier pour nous attraper, ma sœur et moi. Après quoi j'entends quelque chose de bien réel, un fracas. Puis j'entends... des voix ? Est-ce que ce sont bien des voix ? Oui. Non. Attendez, c'est celle de ma mère, non ? J'ai envie

de me précipiter en bas. De courir me coucher.
J'entends quelque chose de plus profond – une
autre voix ? Celle d'un homme ?

J'ai la gorge nouée.

Quelques instants plus tard, j'entends une
porte se fermer. Violemment.

Puis j'entends des pas qui approchent.

La voix de ma mère la précède. « Ça va, ça
va », dit-elle, sans plus chuchoter, et elle entre
d'un pas vif dans ma chambre puis me frotte la
tête en passant devant moi pour aller chercher
ma sœur. Elle laisse tomber la batte qui fait un
bruit sourd en touchant le sol. Ma sœur pleure.
« Ça va aller, ce n'était rien », dit ma mère.

Je m'effondre contre le mur. Ma mère prend
ma sœur dans ses bras. J'ai rarement entendu
quelqu'un souffler comme elle vient de le faire.

« C'était qui ?

– Rien, personne. »

Mais je sais qu'elle ment. Je sais pertinemment
qui c'était.

« Viens ici, Charley. »

Elle tend une main. J'avance très lentement,
les bras le long du corps. Elle m'attire près d'elle,
mais je résiste. Je suis en colère contre elle. Et je
le resterai jusqu'au jour où je quitterai cette maison pour de bon. Je sais qui c'était. Et je suis
fâché qu'elle n'ait pas autorisé mon père à rester.

« TU VAS VOIR, Rose, disait ma mère alors que je retournais dans la pièce, tu vas être splendide. Ça doit poser une demi-heure.

– C'était qui au téléphone, mon cœur ? » m'a demandé Rose.

J'arrivais à peine à secouer la tête. Mes doigts tremblaient.

« Charley ? a fait ma mère. Tu vas bien ?

– Il n'y avait... J'ai avalé ma salive. Il n'y avait personne au bout du fil.

– C'était peut-être un vendeur, a dit Rose. Ils prennent peur quand c'est un homme qui répond. Ils préfèrent les vieilles dames comme moi. »

Je me suis assis. Tout à coup, je me suis senti lessivé, trop fatigué pour garder le menton levé. Qu'est-ce qui venait de se passer ? C'était la voix de qui ? Comment savait-on où me trouver, sans pour autant venir me chercher ? Plus j'essayais d'y penser, plus la tête me tournait.

« Tu es fatigué, Charley ? m'a demandé ma mère.

– C'est juste que... Donne-moi une seconde. »

Mes yeux se sont fermés instantanément.

« Dors », ai-je entendu me murmurer une voix, mais impossible de déceler laquelle des deux avait prononcé ce mot, c'est dire à quel point j'étais sonné.

Les Fois Où Ma Mère M'a Défendu

J'ai quinze ans et, pour la première fois, j'ai besoin de me raser. J'ai quelques rares poils sur le menton et un long duvet au-dessus de la lèvre supérieure. Ma mère m'appelle dans la salle de bains un soir, après que Roberta s'est endormie. Elle a acheté un rasoir Gillette, deux lames jetables en acier inoxydable et un tube de crème à raser.

« Tu sais comment t'en servir ? »

Je hausse les épaules et réponds : « Oui. » Alors que je n'en ai pas la moindre idée.

« Vas-y », me lance-t-elle.

Je fais sortir la crème à raser du tube et la tapote sur mon visage.

« Tu dois la frotter pour la faire pénétrer », m'explique-t-elle.

Je m'exécute. Je continue jusqu'à ce que mes joues et mon menton en soient couverts. Je prends le rasoir.

« *Fais attention, me prévient-elle. Va toujours dans un même sens, pas de haut en bas.*

– *Je sais* », dis-je contrarié. *Je suis mal à l'aise de devoir faire ça devant ma mère. Ça devrait être mon père à sa place. Elle le sait. Je le sais. Mais aucun de nous deux n'y fait allusion.*

Je suis ses conseils. Je vais toujours dans un même sens, regardant la mousse partir en une large bande quand je passe le rasoir dessus. Arrivé sur mon menton, il colle et je sens que je me suis coupé.

« *Oooh, Charley, ça va ?* »

Elle tend la main vers moi, puis la retire comme si elle savait qu'elle ne devait pas.

« *Arrête de t'inquiéter* », lui dis-je, *déterminé à poursuivre.*

Elle regarde. Je continue. Je descends le long de la mâchoire et du cou. Quand j'ai terminé, elle pose une main sur sa joue et sourit. Elle chuchote avec un faux accent chic : « *C'est merveilleux, mon cher, vous y êtes arrivé.* »

Voilà au moins qui me met du baume au cœur.

« *Et maintenant, rince-toi* », me dit-elle.

Les Fois Où Je N'ai *Pas* Défendu Ma Mère

C'est Halloween. J'ai seize ans et je suis trop vieux pour aller de porte en porte quémander un bonbon ou menacer d'une punition. Mais ma sœur veut que je sorte avec elle après dîner – elle est convaincue qu'on obtient de meilleurs bonbons le soir –, alors j'acquiesce à contrecœur à condition que ma nouvelle petite amie, Joanie, puisse nous accompagner. Joanie est pom-pom girl, *en seconde, et moi je suis devenu une star de l'équipe de base-ball.*

« On va sortir loin et récolter plein de nouveaux bonbons ! » décrète ma sœur.

Dehors, il fait froid et on plonge les mains dans nos poches en allant de maison en maison. Roberta amasse ses bonbons dans un grand sac en papier kraft. J'ai mis mon blouson de base-ball. Et Joanie son pull de pom-pom girl.

« Bonbon ou punition ! hurle ma sœur quand une porte s'ouvre.

– *Oh, et en quoi es-tu déguisée, belle enfant ?* » *demande la femme.*

Je lui donne à peu près le même âge que ma mère, sauf qu'elle a des cheveux rouges, une robe de chambre et des sourcils mal dessinés.

« *En pirate, répond Roberta.* »

La femme sourit et dépose une petite barre chocolatée dans le sac de ma sœur comme si elle laissait tomber une pièce dans une tirelire. Ça fait ploc.

« *Moi, je suis son frère, dis-je.*

– *Salut, fait Joanie. Et moi, je suis... avec eux.*

– *Et est-ce que je connais vos parents ?* »

Elle laisse tomber une autre barre chocolatée dans le sac de ma sœur. Ploc.

« *Ma mère s'appelle Mme Benetto* », *répond Roberta.*

La femme s'arrête. Elle reprend la dernière barre chocolatée.

« *Tu veux dire* mademoiselle *Benetto ?* »

Aucun de nous ne sait quoi répondre. L'expression de la femme a changé et ses sourcils dessinés tombent vers le bas.

« *Maintenant, écoute-moi bien, jeune fille. Va dire à ta mère que mon mari n'a aucun besoin de son petit défilé de mode tous les matins devant son magasin. Dis-lui qu'elle n'aille pas se faire* des idées, tu m'entends ? Qu'elle n'aille pas se faire des idées. »

Joanie me regarde. Ma nuque est brûlante.

« Je peux l'avoir, celle-là ? » demande Roberta, les yeux rivés sur la barre chocolatée.

La femme la serre contre sa poitrine.

« Viens, Roberta, marmonné-je en la tirant d'un coup sec.

— Ça doit être dans la famille, dit la femme. De vouloir mettre la main sur tout ce que vous trouvez. Répète-lui bien ce que je t'ai dit ! Qu'elle n'aille pas se faire des idées, tu m'entends ? »

Mais on a déjà traversé la moitié de la pelouse.

Rose fait ses adieux

QUAND ON EST SORTIS de la maison de Rose, le soleil était plus vif que quand on y était entrés. Rose nous a suivis sur le perron, où elle est restée, la porte moustiquaire en aluminium coincée contre son déambulateur.

« Eh bien, à bientôt, ma chère Rose, a dit ma mère.

– Merci, ma chérie. À bientôt.

– Bien sûr. »

Ma mère l'a embrassée sur la joue. De toute évidence, elle avait bien travaillé. Grâce à sa mise en plis, Rose avait l'air beaucoup plus jeune qu'à notre arrivée.

« Vous êtes magnifique, ai-je dit.

– Merci, Charley. C'est un grand jour. »

Elle a réajusté sa prise sur les poignées du déambulateur.

« Et pourquoi donc ?

– Je vais voir mon mari. »

Je ne voulais pas lui demander où il était, au cas, vous savez, où ce serait une maison de retraite ou un hôpital, alors j'ai juste laissé échapper : « Ah oui ? C'est chouette.

– Oui », a-t-elle répondu doucement.

Ma mère a enlevé un fil qui traînait sur son manteau. Puis elle m'a regardé et a souri. Rose a reculé, ce qui a permis à la porte de se refermer.

On a descendu les marches avec précaution, ma mère me tenant le bras. Quand on a atteint le trottoir, elle s'est dirigée vers la gauche puis on a tourné. Le soleil était pratiquement au-dessus de nous à présent.

« Que dirais-tu de déjeuner, Charley ? » m'a-t-elle demandé.

J'ai failli rire.

« Quoi ? a fait ma mère.

– Rien. Bien sûr. Déjeuner. »

Ça n'était pas plus incroyable que le reste.

« Tu te sens mieux maintenant, depuis ta petite sieste ? »

J'ai haussé les épaules.

« Sans doute. »

Elle m'a tapoté affectueusement la main.

« Elle est en train de mourir, tu sais.

– Qui ? Rose ?

– Oui.

– Je ne comprends pas. Elle avait l'air bien. »

Elle a plissé les yeux à cause du soleil.

« Elle mourra ce soir.

– Ce soir ?

– Oui.

– Elle a dit qu'elle allait voir son mari.

– Effectivement. »

J'ai stoppé net.

« Maman, comment tu le sais ? »

Elle a souri.

« Je l'aide à se préparer. »

III. L'après-midi

Chick à l'université

J'IMAGINE que mon entrée en fac a dû être le plus beau jour de la vie de ma mère. En tout cas, ça a commencé sur ce mode-là. L'université avait offert de payer la moitié de mes droits d'inscription en m'octroyant une « bourse jeunesse et sport » même si, quand ma mère en discutait avec ses amies, elle parlait de « bourse » tout court, son amour de ce mot éclipsant une quelconque possibilité que j'aie pu être admis pour taper dans une balle plutôt que pour lire des livres.

Je me souviens du matin où l'on a pris la voiture pour ma première rentrée. Elle était levée depuis l'aube et un petit déjeuner roboratif m'attendait alors que je descendais l'escalier en trébuchant : crêpes, bacon, œufs, six personnes n'en seraient pas venues a bout. Roberta avait exprimé le souhait de nous accompagner, mais j'avais refusé – ça suffisait déjà de devoir y aller avec ma mère –, alors elle s'est consolée avec une assiette pleine de pain perdu nappé de sirop d'érable. On l'a déposée chez des voisins et on a entamé notre périple de quatre heures.

Parce que c'était pour ma mère une grande occasion, elle avait enfilé une de ses « tenues » – pantalon violet, foulard, talons hauts, lunettes de soleil – et elle avait insisté pour que je mette une chemise blanche et un nœud papillon. « Tu entres à l'université, tu ne vas pas à la pêche », m'avait-elle lancé. Côte à côte, on serait déjà sortis du lot à Pepperville Beach, mais ceci était une université du milieu des années 1960, où plus vous étiez débraillé et plus vous paraissiez habillé ! Forcément, quand on a fini par atteindre le campus et qu'on est sortis de notre break Chevy, on s'est retrouvés encerclés par des jeunes femmes en sandales et blouses paysannes et par des jeunes gens en débardeurs et cheveux longs. Entre mon nœud papillon et son pantalon violet, j'ai senti, une fois de plus, que ma mère attirait sur nous une attention dont je me serais bien dispensé.

Elle voulait savoir où était la bibliothèque et elle a trouvé quelqu'un pour nous l'indiquer. « Charley, regarde-moi tous ces livres, s'est-elle émerveillée tandis qu'on arpentait le rez-de-chaussée. Tu pourrais presque t'installer ici pendant toutes tes études. »

Partout où on allait, elle n'arrêtait pas de tendre le doigt. « Regarde, ce coin, tu pourrais étudier là. » Ou : « Regarde, cette table, à la cafétéria, tu pourrais manger là », et ce n'était supportable que parce que je savais qu'elle allait bientôt partir. Mais c'est alors qu'une jolie jeune fille – rouge à lèvres transparent, frange, et mâchant du chewing-gum – a traversé la pelouse. Elle a attiré mon attention, j'ai attiré la sienne, du coup j'ai gonflé les muscles et me suis dit, ma première étudiante peut-être, qui sait ? C'est à ce moment précis que ma mère m'a demandé : « Est-ce qu'on a bien pris tes affaires de toilette ? »

Quelle réponse donner à ça ? Un oui ? Un non ? Un « Maman, s'il te plaît ! ». Rien de ça ne convenait. La fille a continué son chemin en gloussant, ou peut-être me le suis-je tout bonnement imaginé. De toute façon, nous n'existions pas dans son univers. Je l'ai regardée s'avancer langoureusement vers deux barbus affalés sous un arbre. Elle en a embrassé un sur les lèvres et s'est laissée tomber à leurs côtés, tandis que moi je restais planté là avec une mère qui m'interrogeait sur mes affaires de toilette.

Une heure plus tard, j'ai tiré mon coffre dans l'escalier qui menait à ma chambre. Ma mère portait deux battes, mes battes « porte-bonheur » avec lesquelles j'avais fait gagner l'équipe de Pepperville County.

« Donne-les-moi, lui ai-je dit en tendant la main, je vais les prendre.

— Je vais monter avec toi.

— Non, ça va aller.

— Mais je veux voir ta chambre !

— Maman.

— Quoi ?

— S'il te plaît.

— Quoi ?

— Tu sais bien. S'il te plaît. »

Ne trouvant rien d'autre à dire qui ne lui fasse pas de la peine, j'ai juste avancé un peu plus la main. Son visage s'est décomposé. Je la dépassais de quinze centimètres à présent. Elle m'a tendu les battes et je les ai posées en équilibre sur le coffre.

« Charley », a-t-elle dit. Sa voix était plus douce à présent et elle semblait différente. « Donne un baiser à ta mère. »

J'ai reposé le coffre avec un petit bruit sourd et me suis penché vers elle. Juste à ce moment-là, deux étudiants plus âgés ont descendu les escaliers en bondissant, le pas lourd, parlant fort et riant. Instinctivement, je me suis écarté de ma mère d'un coup sec.

« 'Scusez-nous, s'il vous plaît », a dit l'un d'eux en nous contournant.

Une fois qu'ils ont disparu, je me suis penché en avant, avec juste l'intention de lui déposer un baiser sur la joue, mais elle m'a sauté au cou et m'a serré contre elle. Je sentais son parfum, sa laque, sa crème de jour, toutes les potions et lotions diverses et variées dont elle s'était inondée pour cette journée particulière.

Je me suis écarté. J'ai soulevé le coffre, ai tourné les talons et suis monté, laissant ma mère dans un escalier de cité universitaire, le seul avant-goût qu'elle aurait jamais de ce que ce devait être de faire des études.

Midi

« ET COMMENT VA CATHERINE ? »

On était de retour dans la cuisine et on mangeait, ainsi qu'elle l'avait suggéré. Depuis que je vivais seul, je prenais la plupart de mes repas sur des tabourets de bar ou alors dans des fast-foods. Mais ma mère avait toujours évité de manger à l'extérieur. « Pourquoi payer pour mal manger ? » s'interrogeait-elle. Après le départ de mon père, c'était devenu un leit-motiv. On mangeait à la maison parce qu'on ne pouvait plus se permettre de manger dehors.

« Charley ? Mon cœur ? a-t-elle répété. Comment va Catherine ?

— Bien, ai-je menti sans avoir la moindre idée, à ce moment-là, de comment se portait Catherine.

— Et cette histoire de Maria qui aurait honte de toi ? Elle en pense quoi, Catherine ? »

Elle a apporté une assiette contenant un

sandwich au pain de seigle, avec des tranches de rosbif, de tomates, et aussi de la moutarde. Elle l'a coupé en diagonale. Impossible de me souvenir de la dernière fois où j'avais vu quelqu'un couper un sandwich de cette manière.

« Autant être franc avec toi, maman ; Catherine et moi sommes séparés. »

Elle s'est arrêtée de couper net. Elle semblait réfléchir à quelque chose.

« Tu as entendu ce que je t'ai dit ?

– Mmm, a-t-elle fait tranquillement sans lever les yeux. Oui, Charley, j'ai entendu.

– Elle n'avait rien à se reprocher, tout a été ma faute. Ça faisait quelque temps que je n'avais pas été très sympa, tu comprends ? C'est pour ça... »

Et puis j'allais dire quoi ? *C'est pour ça que j'ai essayé de me suicider ?* Elle a poussé l'assiette devant moi.

« Maman... » Ma voix s'est étranglée. « On t'a enterrée. Et ça fait un bail. »

J'ai regardé les deux triangles de pain du sandwich. « Tout est différent maintenant », ai-je chuchoté.

Elle a tendu la main pour caresser ma joue. Puis elle a grimacé, comme si une douleur la traversait.

« Les choses peuvent s'arranger », a-t-elle dit.

Le 8 septembre 1967

Charley,

Que penses-tu de ma typographie ? Je m'entraîne au travail, sur la machine d'Henrietta. Plutôt chouette !

Je sais que tu ne liras pas ceci avant mon départ. Mais au cas où tu ne m'aurais pas entendue parce que j'étais trop excitée à l'idée que tu sois à l'université, je voudrais te dire quelque chose. Je suis tellement fière de toi, Charley. Tu es le premier étudiant de la famille !

Charley, sois gentil avec les gens que tu croises. Avec tes professeurs. Appelle-les toujours monsieur et madame, même si on me dit que maintenant les étudiants appellent leurs enseignants par leurs prénoms. Je ne trouve pas ça bien. Et sois gentil avec les filles avec qui tu sors. Je me doute bien que tu ne veux pas de conseil amoureux de ma part, mais je sais que les filles te trouvent beau. Et que ce n'est pas une raison pour être méchant. Sois gentil.

Et puis, dors la nuit. Josie, une de nos clientes, dit qu'à la fac son fils n'arrête pas de s'endormir pendant les cours. N'insulte pas tes professeurs de cette manière, Charley. Ne t'endors pas. C'est une telle chance que tu as, qu'on t'enseigne des choses, que tu en apprennes et que tu n'aies pas à travailler dans un magasin quelconque.

Je t'aime chaque jour.

Et maintenant tu vas me manquer chaque jour aussi.

Baisers,

Maman.

Quand les fantômes reviennent

JE FAISAIS TOUJOURS LE MÊME RÊVE : mon père avait simplement déménagé dans la ville d'à côté et un beau jour je me rendais chez lui d'un coup de vélo, frappais à sa porte, et il m'assurait alors que tout ça n'était qu'une gigantesque erreur. On revenait ensemble, moi devant sur le guidon, lui pédalant dur, et une fois à la maison ma mère se précipitait à la porte et versait des larmes de joie.

C'est incroyable ce qu'un esprit peut produire. La vérité était que j'ignorais où il habitait, et que je ne l'ai jamais su. Je passais devant son magasin après l'école, mais il n'était jamais là. C'était son ami Marty qui en était devenu le gérant, et qui m'a informé que mon père travaillait à plein temps dans son nouveau magasin de Collingswood. C'était juste à une heure de voiture, mais, aux yeux d'un élève de sixième, c'était le bout du monde. Après quelque temps, j'ai cessé de passer par là et d'imaginer qu'on rentrerait en vélo ensemble. Et j'ai fait mon primaire et mon secondaire sans le moindre contact avec lui.

C'était devenu un fantôme.

Mais je continuais de le voir.

À chaque fois que je jouais avec une batte ou lançais une balle, et c'est pour ça que je n'ai jamais arrêté le base-ball, pour ça que je jouais chaque printemps et chaque été dans chaque équipe et chaque division possible. Je l'imaginais corrigeant ma position. Je l'imaginais serrant le poing et criant : « Plonge, plonge, plonge ! » pendant que je courais pour attraper une balle rase.

Il est naturel pour un jeune Américain d'imaginer son père sur un terrain de base-ball. Dans mon esprit, c'était juste une affaire de temps avant qu'il ne se montre pour de vrai.

Et donc, année après année, d'équipe en équipe, j'ai enfilé nouvelle tenue sur nouvelle tenue − chaussettes rouges, pantalons gris, maillots bleus, casquettes jaunes − et chacune me faisait l'impression de me préparer pour sa visite. J'ai vécu mon adolescence entre l'odeur pulpeuse des livres, passion maternelle, et celle du cuir des gants de base-ball, passion paternelle. J'ai grandi à son image, avec une grande carrure et de larges épaules, ainsi que cinq centimètres supplémentaires.

Et tandis que je grandissais, je m'accrochais au jeu comme à un radeau sur une mer agitée, avec foi, envers et contre tout.

Jusqu'à ce que ce dernier finisse par me ramener à mon père.

Ainsi que j'avais toujours su que ça arriverait un jour.

APRÈS UNE ABSENCE de huit longues années, il est réapparu durant mon premier match à l'université, au printemps 1968, assis au premier rang, juste à gauche du lanceur, une bonne place pour observer ma forme.

Ce jour reste marqué au fer rouge dans ma mémoire. C'était une après-midi venteuse et le ciel était gris métallique, il menaçait de pleuvoir. J'ai avancé vers la plaque. D'ordinaire, je ne regarde pas vers les gradins, mais cette fois-ci je l'ai fait, allez savoir pourquoi. Et il était là. Ses cheveux grisonnaient aux tempes et ses épaules m'ont semblé plus étroites, sa taille plus épaisse, comme s'il s'était affaissé ; à part ça, il paraissait égal à lui-même. Et s'il était mal à l'aise, il ne l'a pas montré. De toute façon, je n'étais pas sûr de le connaître suffisamment pour être capable de déchiffrer ses humeurs.

Il a hoché la tête en me voyant. Tout a semblé alors se figer.

Huit années. Huit longues années. J'ai senti ma lèvre trembler. Je me souviens d'une voix dans ma tête me disant : « *Ne pleure pas, Chick, ne pleure pas, gros crétin, ne pleure pas.* »

J'ai regardé mes pieds. Je les ai obligés à bouger. J'ai gardé les yeux rivés sur eux.

Et au coup d'envoi, j'ai renvoyé la balle au-dessus du mur gauche et marqué plein de points.

Mlle Thelma

LE PROCHAIN RENDEZ-VOUS DE MA
MÈRE était avec une dame habitant un quartier de la ville baptisé « les Appartements ». Il
s'agissait pour l'essentiel de pauvres gens
vivant dans de petites maisons mitoyennes.
J'étais sûr qu'il nous faudrait prendre la voiture pour y aller, mais, avant que je puisse lui
poser la question, la sonnette a retenti.

« Tu peux répondre, Charley, s'il te plaît ? »
m'a demandé ma mère en posant une assiette
dans l'évier.

J'ai hésité. Je n'avais pas envie de répondre
à quelque coup de sonnette ou appel téléphonique que ce soit. Quand ma mère a
répété : « Charley ? Tu peux répondre ? », je
me suis levé et me suis avancé lentement vers
la porte.

Je me suis convaincu que tout allait bien.
Mais à l'instant où j'ai touché la poignée, j'ai

senti un souffle brusque m'aveugler, une vague de lumière suivie d'une voix masculine, celle que j'avais entendue dans le combiné chez Rose. Et là, elle criait :

« CHARLES BENETTO ! JE SUIS OFFICIER DE POLICE ! »

J'avais l'impression d'être pris dans une tempête. La voix était tellement proche que j'arrivais à la toucher physiquement.

« EST-CE QUE VOUS M'ENTENDEZ, CHARLES ? JE SUIS OFFICIER DE POLICE ! »

J'ai vacillé en arrière et enfoui mon visage entre mes mains. La lumière a disparu. Le vent est retombé. Je n'ai plus entendu que ma propre respiration laborieuse. Vite, vite, j'ai cherché ma mère des yeux, elle était toujours devant l'évier ; s'il se passait quelque chose, c'était donc dans ma tête.

J'ai attendu quelques secondes, j'ai pris trois longues inspirations, puis j'ai ouvert la porte avec précaution, les yeux baissés, m'attendant à me retrouver nez à nez avec l'officier de police qui venait de crier. Sans que je sache vraiment pourquoi, je l'imaginais jeune.

Mais, quand j'ai levé les yeux, j'ai vu à la place une vieille dame noire avec des lunettes en sautoir, des cheveux en bataille et une cigarette au bec.

« C'est toi, Chick? Eh bien, dis-moi, t'as drôlement grandi ! » s'est-elle exclamée.

ON L'APPELAIT « Mlle Thelma ». C'était notre femme de ménage. Elle était mince et fluette, vive de caractère et toujours très souriante. Ses cheveux étaient teints en rouge-orange et elle fumait à la chaîne des Lucky Strikes qu'elle gardait dans sa poche de poitrine, comme un homme. Née en Alabama, où elle avait également grandi, elle s'était retrouvée à Pepperville Beach Dieu seul sait comment. À la fin des années 1950, quasiment chaque maison de notre côté de la ville employait quelqu'un comme elle. Une « domestique », les appelait-on, ou, quand les gens étaient honnêtes, une « bonne ». Mon père allait la chercher le samedi matin à l'arrêt de bus près de la cafétéria *The Horn and Hardart* et la payait quand elle repartait, lui glissant les billets pliés de la main à la main sans baisser les yeux, comme si aucun des deux n'était supposé les regarder. Elle passait la journée à nettoyer pendant qu'on était au base-ball. Et quand on revenait à la maison, ma chambre était impeccable, que ça me plaise ou non.

Ma mère insistait pour qu'on l'appelle « Mlle Thelma », je me souviens de ça, et je me souviens qu'on n'avait pas le droit d'entrer dans les pièces où elle venait juste de passer l'aspirateur. Je me souviens que parfois elle jouait avec moi dans le jardin de derrière et qu'elle lançait les balles aussi fort que moi.

Elle avait aussi inventé mon surnom, par inadvertance. Mon père avait essayé de m'appeler « Chuck » (ma mère détestait, elle disait : « Chuck ? Ça fait paysan ! »), mais parce que depuis le jardin je criais toujours pour rentrer dans la maison « Mamannnnn ! » ou « Roberrrrrta ! », un jour, Mlle Thelma, excédée, a levé les yeux et décrété : « À ta façon de brailler, tu me fais penser à un coq, Chuck ! » Ma sœur, qui était à la maternelle à l'époque, a dit : « Chic alors, Chuck est un coq ! Chic alors, Chuck est un coq ! », et pour finir mon surnom s'est mué en « Chick ». Mon père n'a pas vraiment porté Mlle Thelma dans son cœur après ça.

« Posey, disait-elle à présent à ma mère en lui adressant un large sourire, j'ai pensé à toi.

— Merci, merci.

— J'y ai pensé, je t'assure. »

Elle s'est tournée vers moi.

« J'peux plus te renvoyer de balles ces jours-ci, Chick. J'suis trop vieille. »

J'ai haussé les épaules. Elle a gloussé.

On était dans sa voiture, qui devrait nous permettre d'atteindre « les Appartements », j'imagine. Ça me faisait tout drôle que ma mère s'occupe de Mlle Thelma. Mais bon, je me rendais compte que, trop accaparé par mes propres problèmes, je connaissais bien peu de choses, concernant la fin de sa vie.

Le long de la route, j'ai vu pour la première fois par la vitre d'autres gens. Un vieillard aux traits tirés et à la barbe grise qui traînait un râteau vers son garage. Ma mère l'a salué de la main et il l'a saluée en retour. Une femme aux cheveux blond platine assise sur son perron, en blouse. Autre salut maternel de la main. Et autre salut en retour.

On a avancé encore un peu plus, jusqu'à ce que les rues deviennent plus petites, de moins en moins praticables. On a tourné dans une allée de gravier et on s'est arrêtés devant une grande maison dont le perron était flanqué de portes ayant un sacré besoin de peinture. Plusieurs voitures étaient stationnées dans l'allée et un vélo était couché dans l'herbe. Mlle Thelma a garé la sienne et coupé le contact.

Et, en un clin d'œil, on s'est retrouvés à l'intérieur. La chambre était lambrissée, la moquette vert olive, le lit à baldaquin. Et Mlle Thelma était tout à coup étendue dessus, soutenue par deux oreillers.

« Qu'est-ce qui s'est passé ? » ai-je demandé à ma mère.

Elle a secoué la tête comme pour dire « Pas maintenant », et a entrepris de vider le sac qu'elle avait apporté. J'ai entendu des enfants pousser des cris perçants dans une autre pièce, ainsi que les bruits étouffés d'un poste de télévision et ceux d'assiettes que l'on dispose autour d'une table.

« Ils croient tous que je dors », a répondu Mlle Thelma.

Elle a regardé ma mère droit dans les yeux.

« Posey, ça me ferait vraiment du bien maintenant. Tu peux ?

– Bien sûr », a répondu ma mère.

Les Fois Où Je N'ai *Pas* Défendu Ma Mère

Je ne lui parle pas du fait que j'ai revu mon père. Qui assiste aussi à mon match suivant et qui hoche à nouveau la tête quand j'arrive sur la plaque. Cette fois-ci, je hoche la tête en retour, imperceptiblement, mais je le fais. Et je marque des tas de points lors de ce match-là !

On continue comme ça pendant plusieurs semaines. Il s'assied. Il regarde. Et je frappe la balle comme si elle faisait cinquante centimètres de diamètre. Finalement, après un match à l'extérieur durant lequel je me distingue, il m'attend devant le bus de l'équipe. Il porte un anorak bleu sur un col roulé blanc. Je remarque ses tempes grisonnantes. Quand il me voit, il lève le menton, comme s'il luttait contre le fait qu'aujourd'hui je sois plus grand que lui. Voici les premiers mots qu'il m'a adressés :

« Demande à ton entraîneur si je peux te ramener sur le campus d'un coup de voiture. »

J'aurais pu faire n'importe quoi à ce moment-là. Cracher. Lui dire d'aller au diable. L'ignorer délibérément comme lui l'avait fait avec nous.

J'aurais pu dire quelque chose à propos de ma mère.

Au lieu de quoi j'obtempère. Je demande la permission de ne pas prendre le bus pour rentrer. Lui respecte l'autorité de mon entraîneur, moi la sienne, et c'est comme ça que le monde tourne, avec nous qui nous comportons en hommes.

« JE NE SAIS PAS, Posey, a dit Mlle Thelma, mais je crois qu'il va falloir un miracle. »

Elle se regardait dans un miroir à main. Ma mère a sorti des petits pots et des boîtes à bijoux.

« Eh bien, eh bien, voilà un sac qui regorge de miracles, a-t-elle répondu.

— Vraiment ? Y a un remède pour le cancer là-dedans ? »

Ma mère a tendu un pot. « J'ai de la crème hydratante. »

Mlle Thelma a ri.

« Tu trouves ça ridicule, Posey ?

— Quoi donc, ma douce ?

— Que je veuille tellement avoir l'air bien ?

— Il n'y a rien de mal à ça, si c'est ce que tu veux dire.

— C'est que, tu vois, mes enfants sont là-bas, c'est tout. Et leurs enfants avec. J'aimerais avoir bonne mine pour eux, tu comprends ? J'ai pas envie qu'ils s'inquiètent en me voyant toute défaite. »

Ma mère a enduit le visage de Mlle Thelma de crème hydratante en effectuant de larges cercles.

« Tu n'as jamais la mine défaite, a-t-elle rétorqué.

– Oh! redis-moi ça, Posey. »

Et elles ont ri à nouveau.

« Parfois, ils me manquent, nos samedis, a dit Mlle Thelma. On s'amusait, non ?

– Mais oui », a répondu ma mère.

Mlle Thelma a fermé les yeux tandis que les mains de Posey faisaient leur office.

« Chick, ta mère est la meilleure coéquipière que j'aie jamais eue. »

Je n'étais pas sûr de ce qu'elle voulait dire.

« Vous avez travaillé au salon ? » lui ai-je demandé.

Ma mère a eu un large sourire.

« Non, a répondu Mlle Thelma. Je n'aurais pas pu embellir une femme quand bien même je l'aurais voulu. »

Ma mère a refermé le pot de crème hydratante et en a pris un autre. Elle en a soulevé le couvercle et trempé une éponge.

« Quoi ? ai-je fait. Je ne comprends pas. »

Elle a tenu l'éponge en l'air comme un peintre sur le point de poser son pinceau sur la toile.

« On faisait des ménages en tandem, Charley », m'a-t-elle expliqué.

Voyant mon expression, elle a agité les doigts pour couper court.

« Comment tu crois que j'ai payé vos études ? »

ARRIVÉ EN DEUXIÈME ANNÉE d'université, j'avais pris cinq kilos de muscles, et ça se voyait quand je renvoyais les balles. Ma moyenne à la batte me plaçait dans le top 50 des joueurs universitaires du pays. Mon père ayant insisté, j'ai joué dans plusieurs matchs qui étaient des vitrines à l'intention des chasseurs de têtes, ces hommes qui s'asseyaient sur les gradins avec un bloc-notes et un cigare au bec. Un jour, l'un d'eux nous a abordés après un match.

« C'est votre fils ? » a-t-il demandé à mon père.

Ce dernier a hoché la tête d'un air soupçonneux. L'homme avait une calvitie naissante, un nez bulbeux, et un tricot de corps visible sous son pull léger.

« Je travaille pour les Saint Louis Cardinals.

– Ah bon ? » a fait mon père.

Je me retenais pour ne pas faire des bonds sur place.

« On pourrait avoir une place libre comme receveur.

– Ah bon ? a fait mon père qui savait bien que ce n'était guère prestigieux.

– On peut garder l'œil sur votre fiston, si ça l'intéresse. »

L'homme a reniflé fort, un bruit mouillé et

bruyant. Il a sorti un mouchoir et s'est mou-
ché.

« Le problème, a répondu mon père, c'est
que Pittsburgh a l'avantage. Ça fait un bout
de temps qu'ils l'ont déjà repéré. »

L'homme a fixé la mâchoire de mon père,
actionnée sur le chewing-gum qu'il mâchait.

« Ah bon ? » a fait l'homme.

BIEN SÛR, TOUT ÇA était neuf pour moi,
et une fois l'homme parti, j'ai assailli mon
père de questions. Ça s'était passé quand ? Ce
type était-il sincère ? Est-ce que Pittsburgh
avait bel et bien un œil sur moi ?

« Et alors ? Ça change rien à ce que tu
dois faire, Chick. Tu restes à ta place, tu tra-
vailles avec tes entraîneurs, et le moment
venu tu seras prêt. C'est moi qui m'occupe
du reste. »

Obéissant, j'ai hoché la tête. Mon esprit
allait à toute allure.

« Et la fac ? »

Il s'est gratté le menton. « Ben quoi ? »

En flash, j'ai revu le visage de ma mère au
moment où elle m'avait fait faire le tour de la
bibliothèque. J'ai essayé de le chasser.

« Les Saint Louis Caaardinals », a prononcé mon père d'une voix traînante. Il a

enfoncé sa chaussure dans le sol. Puis il a bel et bien souri. Rayonnant de fierté, j'ai eu la chair de poule. Il m'a demandé si je voulais une bière, j'ai répondu « Ouais », et on a été en boire une, entre hommes.

« PAPA EST VENU voir un match. »

J'étais dans une cabine téléphonique sur le campus. C'était bien après la première visite de mon père, mais il m'avait fallu tout ce temps pour trouver le courage de lui en parler.

« Oh ! a fini par dire ma mère.

– Tout seul », me suis-je empressé d'ajouter. Je ne sais pas pourquoi, mais ça me semblait important.

« Tu l'as dit à ta sœur ?

– Non.

– Rien ne doit perturber tes études, Charley.

– Mais non.

– C'est ta priorité.

– Je sais.

– Les études, c'est vital, Charley. C'est comme ça que tu deviendras quelqu'un. »

J'attendais la suite, probablement une horrible anecdote. J'attendais ce qu'attendent tous les enfants de divorcés, qu'une inclinaison dans le plancher me fasse prendre parti pour l'un plutôt que l'autre. Mais ma mère n'a jamais voulu nous révéler la raison du départ de mon père. Elle n'a pas une seule fois saisi l'appât que ma sœur et moi lui agitions sous le nez, en quête de haine ou d'amertume. Tout ce qu'elle faisait, c'était ravaler les mots, la conversation. Ce qui s'était passé entre eux, elle le ravalait aussi.

« Ça ne te dérange pas si moi et papa on se voit?

— Papa *et moi*, a-t-elle corrigé.

— Papa *et moi*, ai-je repris, exaspéré. Ça ne te dérange pas? »

Elle a soupiré.

« Tu n'es plus un gosse, Charley. »

Pourquoi avais-je la sensation d'en être encore un, alors?

IL Y AVAIT TELLEMENT de choses que j'ignorais, je le vois avec le recul aujourd'hui. Je ne savais pas comment elle avait vraiment pris la nouvelle. Si ça l'avait mise en colère ou si ça lui avait fait peur. Je ne savais certainement pas que, pendant que je sifflais des bières avec mon père, les factures étaient en partie payées par les ménages que ma mère faisait avec une femme qui jadis avait fait le nôtre.

Je les regardais toutes les deux dans la chambre à présent, Mlle Thelma appuyée contre les coussins, tandis que ma mère agitait ses éponges à maquillage et ses crayons d'eye-liner.

172

« Pourquoi tu ne m'en as rien dit ? lui ai-je demandé.

– Et qu'est-ce que j'aurais dû te dire ?

– Que tu avais, tu sais, pour gagner des sous...

– Nettoyé des sols ? Lavé du linge ? » Ma mère a gloussé. « Je ne sais pas. Peut-être à cause de la façon dont tu me regardes maintenant. »

Elle a soupiré. « Tu as toujours été fier, Charley.

– Mais *non* ! » me suis-je exclamé sèchement.

Elle a levé les sourcils puis s'en est retournée au visage de Mlle Thelma. Dans sa barbe, elle a marmonné : « Puisque tu le dis. »

« Ne fais pas ça ! ai-je protesté.

– Ne fais pas quoi ?

– Cette phrase ! *Puisque tu le dis.*

– Je n'ai pas prononcé de phrase, Charley.

– Mais si !

– Ne crie pas.

– Je n'étais pas fier. Juste parce que... »

Ma voix s'est brisée. Je jouais à quoi ? Une demi-journée avec ma mère morte et on recommençait à se disputer ?

« Y a pas de honte à avoir besoin de travailler, Chick, a dit Mlle Thelma. Moi, le seul boulot que je connaissais, c'était le mien. Et quand ta maman m'a demandé : " Eh bien, qu'en dites-vous ? ", j'ai répondu : " Posey, vous voulez faire des ménages ? " Et elle a dit : " Thelma, si le ménage, c'est assez bon pour vous, alors pourquoi il le serait pas pour moi ? " Tu te souviens de ça, Posey ? »

Ma mère a inspiré.

« Je n'ai pas dit " si le ménage, *c'est* ". »

Mlle Thelma a hurlé de rire. « Non, non, non, c'est vrai, tu l'as pas dit comme ça. J'en suis sûre. Tu n'as pas pu dire " le ménage, *c'est* ". »

Et les voilà qui riaient toutes les deux à présent. Ma mère essayait de mettre quelque chose sous les yeux de Mlle Thelma.

« Ne bouge pas », lui a-t-elle ordonné, mais elles continuaient de rire.

« JE TROUVE QUE MAMAN devrait se remarier », a dit Roberta.

C'était à une occasion où je l'avais appelée depuis le campus.

« Qu'est-ce que tu veux dire ?

– Elle est encore jolie. Sauf que personne ne le reste éternellement. Déjà, elle n'est plus aussi mince qu'autrefois.

– Elle n'a pas envie de se remarier.

– Comment tu le sais ?

– Elle n'a pas *besoin* de se remarier, Roberta, d'accord ?

– Si elle ne se trouve pas quelqu'un vite fait, bientôt plus personne ne voudra d'elle.

– Arrête.

– Elle porte une gaine maintenant, Charley. Je l'ai vue.

– Je m'en *fiche*, Roberta, arrête !

– Tu te crois tellement cool parce que tu es en fac.

– Arrête.

– Tu as déjà entendu cette chanson " *Yummy, Yummy, Yummy* " ? Je la trouve très bête. Comment ça se fait qu'ils la passent tout le temps ?

– Est-ce qu'elle t'a parlé de se remarier ?

– Peut-être.

– Roberta, je suis sérieux. Qu'est-ce qu'elle t'a dit ?

– Rien, d'accord ? Mais qui sait où papa peut bien être, merde ! Maman ne devrait pas avoir à rester seule.

– Ne jure pas.

– Je dis ce que je veux, Charley. Tu n'es pas mon père. »

Elle avait quinze ans, moi vingt. Elle ne savait pas, pour mon père. Que je l'avais revu et que je lui avais parlé. Elle voulait que ma mère soit heureuse. Moi, je voulais qu'elle reste comme elle était. Neuf années s'étaient écoulées depuis ce samedi matin où ma mère avait écrasé des Corn Flakes dans la paume de sa main. Neuf années que l'on n'était plus une famille.

En fac, je suivais un cours de latin ; et à une occasion est apparu le mot « divorce ». J'avais toujours cru que sa racine signifiait « diviser ». Alors qu'en fait, ça venait de *divertire*, qui veut dire « changer de cap ».

Ce que je crois sans peine. Le résultat clair et net du divorce, c'est le changement de direction, qui vous éloigne de tout ce que vous pensiez savoir et vouloir, pour vous embarquer vers des discussions oiseuses autour de la gaine de votre mère, et si oui ou non elle devrait se remarier.

Chick fait son choix

IL Y A DEUX JOURNÉES À LA FAC que je vais partager avec vous ici, parce qu'elles représentent le meilleur et le pire de ces années-là. Le meilleur a eu lieu en deuxième année, au cours du premier semestre. Le base-ball n'avait pas encore commencé et j'avais donc plein de temps pour traîner et me faire des amis. Une des associations de la fac avait organisé une grande soirée un jeudi soir après les partiels. C'était bourré de monde, et sombre. La musique était montée à fond. Des lumières noires rendaient les posters au mur – et tous les gens de cette soirée – phosphorescents. On riait fort et on trinquait avec nos verres en plastique.

À un moment donné, un type aux longs cheveux filasses a sauté sur une chaise, s'est mis à faire semblant de chanter sur la musique en jouant d'une guitare fictive – il

s'agissait d'une chanson de Jefferson Air-
plane – et tout le monde a applaudi. C'est
vite devenu un concours. On a tous cherché
dans les caisses de 33 tours afin d'y trouver
un disque qui permette de participer à ce
« spectacle ».

Et je ne sais pas à qui étaient ces disques,
mais j'en ai repéré un assez incroyable et j'ai
crié à mes copains : « Hé! Attendez! Regardez-moi un peu ça! » C'était l'album de
Bobby Darin que ma mère écoutait quand on
était gosses. Sur la pochette, il portait un
smoking blanc, et ses cheveux étaient tellement courts et nets que c'en était gênant.

« Je le connais, celui-là! me suis-je
exclamé. Je connais toutes les paroles!

– Arrête, a dit un copain.

– Mets-le! Mets-le! a insisté un autre.
Regardez ce crétin! »

On a réquisitionné le tourne-disque, posé
le saphir sur le sillon de « *This Could Be The
Start of Something Big* », et quand la musique
a démarré, tout le monde s'est figé, parce que
de toute évidence ce n'était pas du rock and
roll. Tout à coup, avec mes deux copains,
j'étais devenu l'attraction. Ils se sont regar-
dés, gênés, puis ont tendu le doigt vers moi
en se déhanchant. Moi, je me sentais détaché

et me suis plutôt dit, qu'est-ce que je m'en fiche ? Et donc, tandis que trompettes et clarinettes mugissaient dans les haut-parleurs, j'ai fait semblant de chanter les paroles que je connaissais par cœur.

You're walkin' along the street, or you're at a party,
Or else you're alone and then you suddenly dig,
You're looking' in someone's eyes, you suddenly realize
That this could be the start of something big.

Je claquais des doigts comme les crooners de certaines émissions, et tout d'un coup, voilà que tout le monde riait et hurlait : « Ouais ! Vas-y ! » Je me suis ridiculisé de plus en plus. Je crois que personne n'en revenait que je connaisse toutes les paroles d'un disque aussi ringard.

Quoi qu'il en soit, une fois la chanson terminée, on m'a fait une splendide ovation ; mes copains m'ont passé un bras autour de la taille, puis on s'est donné des accolades en riant.

C'est ce soir-là que j'ai rencontré Catherine. Et ça, c'était le meilleur. Elle avait regardé ma « prestation » avec quelques copines. Dès que je l'ai aperçue, j'ai tremblé – même pendant que j'agitais les bras et que je bougeais les lèvres. Elle portait un chemisier sans manches en coton rose, un jean moulant, du brillant à lèvres couleur fraise et elle a joyeusement claqué des doigts pendant que je « chantais » Bobby Darin. À ce jour, je ne sais toujours pas si elle m'aurait regardé de plus près si je ne m'étais pas autant ridiculisé.

« Où tu as appris cette chanson ? m'a-t-elle demandé en s'approchant de moi pendant que je me versais une bière.

– Euh, ma mère », ai-je répondu.

Je me sentais ridicule. Franchement, entamer une conversation par « ma mère » ! Mais l'idée n'a pas semblé la déranger et, bon, on a enchaîné sur autre chose.

Le lendemain, j'ai eu mes notes et elles étaient bonnes, deux A et deux B. J'ai appelé ma mère au salon et elle est venue au téléphone. Je lui ai donné les résultats et lui ai parlé de Catherine et de la chanson de Bobby Darin ; elle a semblé tellement contente que je l'appelle en pleine journée. Par-dessus le grondement des sèche-cheveux, elle a crié : « Charley, je suis tellement *fière* de toi ! »

Ça, c'était le meilleur.

J'ai abandonné mes études l'année sui‑
vante.

Ça, c'était le pire.

J'AI ABANDONNÉ mes études pour jouer
en deuxième division, à la suggestion de mon
père et à la grande déception de ma mère. On
m'avait offert une place chez les Pittsburgh
Pirates pour y jouer à l'essai et, avec un peu
de chance, intégrer plus tard l'équipe. Mon
père sentait que c'était le bon moment. « Tu
ne peux pas t'améliorer en continuant de
jouer contre des étudiants », m'a-t-il dit.

Quand j'ai évoqué pour la première fois
l'idée auprès de ma mère, elle a crié : « C'est
hors de question ! » Et peu importe que le
base-ball me rapporte un jour de l'argent.
Peu importe que les chasseurs de têtes
pensent que j'avais un potentiel énorme,
peut-être même suffisamment pour entrer
dans les équipes de première division. « C'est
hors de question ! » furent ses seules paroles.

Et je ne l'ai absolument pas écoutée.

Je suis allé au secrétariat, les ai informés
que je quittais la fac, j'ai rempli un sac de
marin et je suis parti. De nombreux gars de
mon âge qui n'étaient pas étudiants étaient
envoyés au Vietnam. Par je ne sais quel

hasard, ou alors par chance, j'avais tiré un bon numéro à la loterie des appelés. Mon père, ancien combattant, semblait néanmoins soulagé. « Tu n'as pas besoin des ennuis qu'on récolte en allant à la guerre », m'a-t-il assené.

J'ai obéi et je suis allé là où *lui* m'ordonnait d'aller, dans une petite équipe de seconde division à San Juan à Porto Rico, où j'étais admis d'emblée, ce qui a signifié la fin de mes études. Que dire de plus ? Étais-je séduit par le jeu, ou bien par l'approbation de mon père ? Les deux, je suppose. Ça me semblait naturel, comme si j'étais de nouveau sur le chemin des miettes que, écolier, je cherchais à grappiller – avant que les choses ne suivent un autre cours, avant que ne commence ma vie de petit garçon à sa maman.

Je me souviens d'avoir appelé ma mère depuis San Juan, où l'on m'avait envoyé. J'avais pris un avion direct, c'était la première fois que j'en prenais un d'ailleurs. Je n'avais pas voulu passer par Pepperville, parce que je savais que ma mère m'aurait fait une scène.

« Un appel en PCV de votre fils », lui a annoncé l'opératrice avec un accent espagnol.

Quand ma mère a compris où j'étais, que l'affaire était conclue, elle est restée sans voix. Puis son ton est devenu complètement morne. Elle m'a demandé quel genre de vêtements j'avais emportés. Et comment je me débrouillais pour la nourriture. Elle semblait lire une liste de questions toutes faites.

« Tu es en sécurité, là où tu loges ? m'a-t-elle demandé.

– En sécurité ? Je suppose que oui.

– Qui d'autre tu connais là-bas ?

– Personne, mais il y a des types dans l'équipe et j'apprendrai à les connaître. Je partage ma chambre avec un gars de l'Indiana ou de l'Iowa, je ne sais pas.

– Mmm-hmm. »

Puis un silence.

« Maman, je pourrai toujours reprendre mes études. »

Cette fois-ci, le silence s'est prolongé. Elle a juste ajouté avant qu'on ne raccroche :

« Reprendre quelque chose est plus dur que tu ne le crois. »

Quand bien même j'aurais essayé, je ne pense pas que j'aurais pu davantage briser le cœur de ma mère.

Le travail à accomplir

MLLE THELMA AVAIT FERMÉ LES YEUX et reposé la tête. Ma mère avait recommencé à la maquiller. Elle tapotait l'éponge sur tout son visage et moi je regardais, empli d'émotions contradictoires. J'avais toujours cru que la profession d'une personne était de la plus haute importance. Chick Benetto, *joueur de base-ball professionnel*, et non Chick Benetto, *vendeur*. Or, maintenant, je venais d'apprendre qu'après Posey Benetto, *infirmière*, puis Posey Benetto, *coiffeuse*, il y avait eu Posey Benetto, *femme de ménage*. Ça me mettait en colère qu'elle soit tombée si bas.

« Maman... ai-je dit non sans hésitation. Pourquoi tu n'as pas tout simplement demandé de l'argent à papa ? »

Elle a serré les mâchoires.

« Pas question de demander quoi que ce soit à ton père !

– Hm-hmm, a ajouté Mlle Thelma.

– On s'est débrouillés tout seuls, Charley.

– Pourquoi tu n'es pas retournée à l'hôpi-tal?

– Ils ne voulaient plus de moi.

– Pourquoi tu ne t'es pas battue?

– Ça t'aurait rendu heureux? » Elle a sou-piré. « Ce n'était pas comme aujourd'hui, où les gens font des procès pour un oui ou pour un non. Et puis c'était le seul hôpital de la région. On ne pouvait pas vraiment quitter la ville. Notre maison était ici. Ta sœur et toi aviez subi suffisamment de changements. Ça a été. J'ai trouvé du travail.

– Des ménages? » ai-je grommelé.

Elle a baissé les mains.

« J'ai moins honte de ça que toi, a-t-elle rétorqué.

– Sauf que tu n'as pas pu exercer le métier qui te plaisait. »

Ma mère m'a regardé avec dans les yeux une lueur de défi.

« J'ai fait ce qui me semblait important, a-t-elle rétorqué. J'étais une mère avant toute chose. »

ENSUITE, ON S'EST TUS. Pour finir, Mlle Thelma a ouvert les yeux.

« Et toi, Chick ? m'a-t-elle demandé, tu n'es pas toujours sur ce grand truc, à jouer au base-ball ? »

J'ai secoué la tête.

« Non, j'imagine que non, a-t-elle poursuivi. C'est pour les jeunes, ça. Mais pour moi tu seras toujours ce petit garçon terriblement sérieux avec ce gant à la main.

– Charley a une famille maintenant, lui a expliqué ma mère.

– C'est vrai ?

– Et un bon travail.

– Ah ! c'est bien. » Mlle Thelma a reposé doucement la tête. « Tu te débrouilles drôlement bien alors, Chick. Drôlement bien. »

Elles se trompaient toutes les deux sur toute la ligne. Je ne me débrouillais pas bien du tout.

« Je déteste mon boulot, ai-je dit.

– Eh bien... » Mlle Thelma a haussé les épaules. « Parfois, ça arrive. Ça peut pas être plus pénible que de frotter une baignoire, si ? » Elle a eu un large sourire. « On fait ce que l'on doit pour nourrir sa famille. Pas vrai, Posey ? »

J'ai regardé se terminer leur rituel. J'ai pensé au nombre d'années durant lesquelles Mlle Thelma avait dû passer des aspirateurs ou frotter des baignoires pour nourrir les siens. Combien de shampoings ou de teintures ma mère avait-elle dû faire pour nous nourrir? Et moi? J'avais joué professionnellement pendant dix ans alors que j'en voulais vingt. Je me suis senti honteux tout à coup.

« Qu'est-ce qui ne va pas dans ton boulot? » m'a demandé Mlle Thelma.

J'ai repensé au service des ventes, aux bureaux métalliques, aux faibles néons.

« Je ne voulais pas être ordinaire », ai-je marmonné.

Ma mère a levé les yeux. « Ça veut dire quoi, ordinaire, Charley?

– Tu sais bien. Quelqu'un qu'on oublie. »

Des cris stridents d'enfants sortaient de l'autre pièce. En entendant ça, Mlle Thelma a tourné le menton. Et elle a souri. « Moi, c'est *ça* qui m'empêche d'être oubliée. »

Elle a fermé les yeux pour que ma mère puisse travailler sur ses paupières. « Encore un peu plus, Posey, a-t-elle marmonné, et puis je serai prête.

– Je n'ai pas fait ce que je devais pour nourrir ma famille », ai-je laissé échapper.

Ma mère a posé un doigt sur ses lèvres pour m'intimer le silence.

À mon Charley le jour de son mariage

Je sais que tu trouves ces petits mots ridicules. Au fil des années, j'ai bien vu que tu fronçais les sourcils à chaque fois que je t'en glissais un. Mais comprends que parfois je veux te dire quelque chose, et surtout que ce soit juste. Et que ça m'aide de mettre ça sur papier. Je regrette de ne pas avoir su mieux écrire, de ne pas avoir été à l'université. Si ça avait été le cas, j'aurais étudié la littérature et peut-être que mon vocabulaire se serait amélioré. J'ai souvent l'impression d'utiliser encore et toujours les mêmes mots, comme une femme qui mettrait chaque jour la même robe. Quel ennui !

Ce que je veux te dire, Charley, c'est que tu épouses une fille merveilleuse. Pour des tas de raisons, je vois Catherine comme une autre Roberta, comme une fille. Elle est douce et patiente. Tu devrais être comme ça avec elle, Charley.

Voilà ce que tu vas découvrir sur le mariage : qu'il faut y tra-

vailler à deux. Et qu'il vous faudra aimer trois choses :
1) L'un l'autre.
2) Vos enfants (quand vous en aurez...).
3) Votre mariage.

Ce que je veux dire par là, c'est qu'il y aura des moments où vous vous disputerez, et que parfois Catherine et toi ne vous aimerez pas du tout du tout du tout. Et ce sont ces fois-là où vous devrez aimer votre mariage. Qui est comme une tierce personne. Regardez vos photos, les souvenirs amassés. Et si vous croyez en ces derniers, ils vous uniront à nouveau.

Tu comprends ?

Je suis très fière de toi aujourd'hui, Charley. Je glisse ça dans la poche de ton smoking parce que je sais que tu perds les choses.

Quoi qu'il en soit, je t'aime chaque jour !

Maman

(Trouvé dans les papiers de Chick Benetto et datant de 1973 environ.)

Arrivé au sommet

JE NE VOUS AI PAS ENCORE RACONTÉ le meilleur et le pire de ma vie professionnelle. J'étais arrivé en championnat national – le bout de l'arc-en-ciel du base-ball. J'étais très jeune, tout juste vingt-trois ans. Le receveur réserviste des Pirates s'était cassé la cheville début septembre et, comme ils avaient besoin d'un remplaçant, ils m'ont appelé. Je me souviens encore du jour où j'ai débarqué dans le vestiaire moquetté. Je n'en revenais pas de sa taille. J'ai appelé Catherine d'une cabine – ça faisait six mois qu'on était mariés – et je n'arrêtais pas de répéter : « C'est *incroyable*. »

Quelques semaines plus tard, les Pirates sont devenus les champions du titre régional. Il serait faux de dire qu'ils me devaient quoi que ce soit, ils étaient en tête de classement quand je suis arrivé et j'ai à peine joué. En

fait, j'étais surtout là en qualité de remplaçant. J'ai rattrapé quatre balles dans le
premier match de *play off*, et dans le second
j'ai renvoyé une balle à l'autre bout du terrain. Elle a été rattrapée et j'ai dû sortir à la
moitié du jeu, mais je me souviens de m'être
dit : « C'est un début. Apparemment je sais
me servir de ce truc. »

Mais ce n'en était pas vraiment un. Pas
pour moi en tout cas. On est arrivés en championnat national, mais les Baltimore Orioles
nous ont battus en cinq manches. Je n'ai
même pas eu l'occasion de renvoyer des
balles. La dernière manche a été une défaite
5-0, et après ma dernière sortie je me suis
assis sur les marches de l'abri des joueurs et
j'ai regardé les joueurs de Baltimore courir
sur le terrain et célébrer leur victoire en se
jetant les uns sur les autres pour former un
gros tas près du monticule du lanceur. Aux
yeux des spectateurs, ils semblaient exta-
tiques, mais aux miens ils avaient surtout l'air
soulagés, comme si la pression était enfin
retombée.

Je n'ai jamais revu cet air-là, mais parfois
j'en rêve encore. Et je m'imagine au beau
milieu de ce gros tas.

Pour un jour de plus

SI LES PIRATES avaient gagné le championnat, il y aurait eu un défilé dans Pittsburgh. Au lieu de quoi et parce qu'on avait perdu à l'extérieur, on a été dans un bar de Baltimore qu'on a fait fermer. La défaite devait toujours être lavée par l'alcool à l'époque, et on s'y est appliqués à fond. En tant que plus jeune recrue de l'équipe, j'ai surtout écouté les anciens râler. J'ai bu ce que j'étais supposé boire. Et j'ai juré à l'unisson. C'est à l'aube seulement qu'on est sortis de cet endroit en titubant.

Quelques heures plus tard, on prenait l'avion du retour et la plupart d'entre nous ont dû faire la sieste pour évacuer notre gueule de bois. Des taxis nous attendaient à l'aéroport; on s'est serré la main. On s'est dit : « À l'année prochaine. » Les portes des taxis se sont refermées l'une après l'autre, vlam, vlam, vlam.

Au mois de mars de l'année suivante, je me suis abîmé le genou durant l'entraînement printanier. Alors que je glissais pour attraper une balle, mon pied s'est coincé, un joueur a trébuché sur moi et j'ai senti un craquement comme jamais de ma vie; selon le docteur, je m'étais déchiré en fait les ligaments antérieurs, postérieurs et médians, le tiercé gagnant des blessures au genou.

Avec le temps, j'ai guéri et repris mes activités. Mais pendant les six années qui ont suivi, j'avais beau essayer, beau penser que je m'étais bien débrouillé, je n'ai plus jamais joué en première division. C'était comme si la magie s'était envolée. La seule preuve que j'avais de mon passage dans cette division était les résultats des matchs publiés dans les journaux de 1973 et ma carte professionnelle, avec une photo me représentant une batte à la main, l'air sérieux, mon nom en majuscules. J'ai reçu deux boîtes pleines de ces cartes. J'en ai envoyé une à mon père et gardé l'autre.

Un court séjour dans le base-ball s'appelle une « tasse de café » et c'est exactement ce que j'ai dégusté, à la meilleure table du meilleur établissement de la ville.

Ce qui, bien sûr, était à la fois une bonne et une mauvaise chose.

VOYEZ-VOUS, je me suis senti plus vivant que jamais durant ces six semaines avec les Pirates, plus vivant qu'avant et plus jamais aussi vivant depuis. Le spot braqué sur moi m'avait donné la sensation d'être immortel. L'énorme vestiaire moquetté me manquait. Ainsi que les traversées d'aéroports avec mes coéquipiers et les regards des fans sur notre passage. Sans parler des foules dans tous ces grands stades, les flashs, les acclamations, tout le côté majestueux de ce sport. Qui me manquait amèrement. Ainsi qu'à mon père. On partageait tous les deux une soif d'y retourner et, même si on ne la verbalisait pas, ça allait sans dire.

Et donc je me suis accroché au base-ball bien après le moment où j'aurais dû l'abandonner. Je suis allé de club en club, toujours en seconde division, m'accrochant à un contrat après l'autre, croyant toujours, comme la plupart des athlètes, que je serais le premier à défier le processus de vieillissement. Je traînais Catherine avec moi aux quatre coins du pays. On a eu des appartements à Portland, Jacksonville, Albuquerque, Fayetteville et Omaha. Durant sa maternité, elle a été suivie par trois docteurs différents.

Pour finir, Maria est née à Pawtucket, Rhode Island, deux heures après un match ayant rassemblé peut-être quatre-vingts personnes, avant que la pluie ne les éparpille. J'ai dû attendre un taxi pour me rendre à l'hôpital. Une fois là, j'étais presque aussi mouillé que ma fille quand elle est venue au monde.

J'ai abandonné le base-ball peu de temps après ça.

Et rien de ce que j'ai essayé ensuite ne m'a procuré les mêmes frissons. J'ai tenté de monter ma propre affaire, ce qui m'a juste valu de perdre de l'argent. J'ai cherché un poste d'entraîneur ici et là, sans succès. Pour finir, un type m'a offert un boulot dans la vente. Sa compagnie fabriquait des bouteilles en plastique pour le domaine alimentaire et pharmaceutique et j'ai accepté le poste. Le travail était inintéressant et les heures pénibles. Pire, je n'ai obtenu le boulot que parce qu'ils se sont dit que je pourrais raconter des histoires de base-ball en en rajoutant et peut-être décrocher des contrats grâce à ça.

C'est drôle. J'ai rencontré à une époque un homme qui faisait beaucoup d'escalade. Et je lui ai demandé ce qui était le plus dur, monter ou redescendre ? Il m'a répondu que sans l'ombre d'un doute c'était la descente, parce qu'on était tellement focalisé sur le fait d'atteindre le sommet pendant l'ascension qu'on évitait les erreurs.

« Escalader une montagne représente une lutte contre soi, m'a-t-il dit. Il faut faire attention à soi autant quand on redescend que quand on grimpe. »

Il y aurait encore beaucoup à dire sur ma vie après le base-ball. Mais ceci la résume plus ou moins.

ON NE SERA PAS ÉTONNÉ d'apprendre que mon père s'est fait petit à petit aussi discret que ma carrière sportive. Oh, il est bien venu voir le bébé quelquefois. Mais il n'était pas aussi fasciné par sa petite-fille que je l'aurais souhaité. Avec le temps, on a eu de moins en moins de sujets de discussion. Il a vendu son commerce de spiritueux et s'est acheté des parts dans une entreprise de distribution, qui payaient ses factures et même plus sans qu'il ait à se soucier de grand-chose. Bizarrement, et bien que j'aie été en quête d'un boulot, il ne m'a pas une seule fois invité à devenir son associé. Il avait dû passer trop de temps à me modeler afin que je sois différent, pour m'autoriser à présent à lui ressembler.

Peu importait. Le base-ball était notre patrie commune et sans lui nous nous sommes éloignés comme deux bateaux à la dérive. Il s'est acheté une maisonnette dans la banlieue de Pittsburgh et s'est inscrit à un club de golf. On lui a diagnostiqué un léger diabète et il a dû surveiller son alimentation, ainsi que se faire des piqûres d'insuline.

Et aussi imperceptiblement que lorsqu'il était réapparu dans ma vie d'étudiant, mon paternel a disparu de nouveau, si ce n'est le coup de fil occasionnel, la traditionnelle carte de vœux.

Vous voulez peut-être savoir s'il m'a jamais expliqué ce qui s'était passé, entre ma mère et lui ? Eh bien, non. Quand je l'interrogeais, il répondait tout simplement : « Ça n'a pas marché entre nous. » Si je le poussais dans ses retranchements, il répondait : « Tu ne comprendrais pas. » Le pire qu'il ait jamais dit au sujet de ma mère a été : « Elle a la tête froide. »

C'était comme s'ils avaient passé un pacte consistant à ne jamais parler de ce qui les avait séparés. Mais je leur ai posé la question à tous les deux, et seul mon père a baissé les yeux en me répondant.

Fin de la deuxième visite

« POSEY,   A   CHUCHOTÉ   MLLE THELMA, je vais aller passer un peu de temps avec mes petits-enfants. »

Elle avait l'air bien mieux que quand elle avait sonné chez ma mère. Son visage était lisse, ses yeux et sa bouche joliment maquillés. Ma mère avait brossé ses longs cheveux vers l'arrière et je me suis rendu compte pour la première fois que Mlle Thelma était jolie, et même qu'elle avait dû être magnifique, dans sa jeunesse.

Ma mère a déposé un baiser sur la joue de Mlle Thelma puis a refermé son sac et m'a fait signe de la suivre. On est passés dans le couloir, où une fillette aux cheveux tressés traînait les pieds dans notre direction.

« Mamie, tu es réveillée ? » a-t-elle demandé.

Je me suis reculé, mais elle nous est passée carrément à côté sans le moindre coup d'œil.

Elle était suivie par un petit garçon – son frère peut-être ? – qui s'est arrêté sur le pas de la porte et s'est fourré un doigt dans la bouche. J'ai tendu la main et l'ai agitée devant son visage. Rien. De toute évidence, nous lui étions invisibles.

« Maman, ai-je bégayé, qu'est-ce qui se passe ? »

Elle regardait Mlle Thelma, que la petite fille avait rejointe sur son lit. Elles jouaient à « Je te tiens, tu me tiens par la barbichette ». Ma mère avait les larmes aux yeux.

« Est-ce que Mlle Thelma est en train de mourir, elle aussi ?

– Dans pas longtemps. »

Je me suis planté devant elle.

« Maman. S'il te plaît.

– Elle m'a appelée, Charley. »

On s'est tournés tous les deux vers le lit.

« Mlle Thelma ? Elle t'a obligée à venir ?

– Non, mon cœur. Elle a pensé à moi, c'est tout. J'étais juste une pensée. Elle aurait aimé que je sois encore là pour qu'elle ait l'air belle plutôt que malade, et donc voilà pourquoi je lui suis apparue.

– Juste une *pensée* ? » J'ai baissé les yeux. « Je ne te suis pas. »

Ma mère s'est rapprochée. Sa voix s'est adoucie. « Est-ce que tu n'as jamais rêvé de quelqu'un de disparu, Charley, mais au lieu d'un souvenir tu partages une nouvelle conversation? Le monde dans lequel tu pénètres alors n'est pas si éloigné de celui dans lequel je vis à présent, Charley. Tu peux faire revivre les gens dans ton esprit, et dans ton cœur. »

J'ai baissé les yeux.

« Je ne te suis pas. »

Elle a posé une main sur la mienne.

« Tant que les gens sont dans ton cœur, ils ne sont pas vraiment morts. Ils peuvent revenir vers toi, même dans des moments improbables. »

Sur le lit, la fillette jouait avec les cheveux de Mlle Thelma. Cette dernière a eu un large sourire puis nous a jeté un coup d'œil.

« Tu te souviens de la vieille Mme Golinski? »

Je m'en souvenais, oui. C'était une patiente à l'hôpital. Qui souffrait d'une maladie incurable. Elle était même mourante. Mais elle avait pour habitude de parler chaque jour à ma mère des gens qui lui « rendaient visite ». Des gens de son passé avec qui elle discutait et riait. Ma mère nous racontait ça au dîner, comment elle avait jeté un œil dans la chambre et vu la vieille Mme Golinski, les yeux fermés, qui souriait et marmonnait, plongée dans une conversation invisible. Mon père la traitait de « folle ». Elle est morte une semaine plus tard.

« Elle n'était pas folle, me disait ma mère à présent.

— Alors Mlle Thelma est...

— Presque. » Les yeux de ma mère se sont plissés. « Plus on est proche de la fin et plus c'est facile de parler aux morts. »

J'ai senti un frisson me parcourir de la tête aux pieds.

« Est-ce que ça veut dire que je suis... »

Je voulais dire « en train de mourir », ou même « décédé ».

« Tu es mon fils, a-t-elle chuchoté. Voilà ce que tu es. »

J'avais la gorge nouée.

« Combien de temps il me reste ?

— Un peu.

— Pas beaucoup ?

— C'est quoi, beaucoup ?

— Je ne sais pas, maman. Est-ce que je vais rester avec toi pour toujours, ou est-ce que tu vas disparaître d'une minute à l'autre ?

— On peut découvrir quelque chose de vraiment important en un rien de temps. »

Tout à coup, tout le verre dans la maison de Mlle Thelma a explosé, les fenêtres, les miroirs, les écrans télévisés. Les éclats ont volé autour de nous comme si on s'était retrouvés dans l'œil d'un cyclone. Une voix à l'extérieur a tonitrué par-dessus tout ça.

« CHARLES BENETTO ! JE SAIS QUE VOUS M'ENTENDEZ ! PARLEZ-MOI !

– Qu'est-ce que je dois faire ? » ai-je crié vers ma mère.

Elle a cligné des yeux calmement tandis que le verre tournoyait autour d'elle.

« C'est à toi de décider, Charley. »

IV. La nuit

Le soleil baisse

« UNE FOIS QUE LE PARADIS EN AURA FINI AVEC MAMIE, ON AIMERAIT BIEN QU'ELLE REVIENNE, MERCI. »
Ma fille avait écrit ça dans le livre d'or à l'enterrement de ma mère, le genre de truc affecté, et en même temps incongru, typique d'une adolescente. Mais, à revoir ma mère, à l'entendre m'expliquer comment ce monde « mort » fonctionnait, comment elle était rappelée vers les gens qui se souvenaient d'elle, eh bien, je me disais que Maria n'avait peut-être pas eu tort.

La tempête de verre dans la maison de Mlle Thelma s'était finalement calmée; j'avais dû fermer fortement les yeux pour que ça s'arrête. Des éclats de verre m'étaient entrés dans la peau et j'avais essayé de les enlever du revers de la main, mais même ça semblait demander un immense effort. Je m'étiolais. Cette journée passée aux côtés de ma mère perdait de son éclat.

« Je vais mourir? lui ai-je demandé.

– Je ne sais pas, Charley. Seul Dieu le sait.

– Est-ce que je suis au ciel?

– Tu es à Pepperville Beach. Tu as oublié?

– Si je suis mort... si je meurs... est-ce que je resterai auprès de toi? »

Elle a eu un large sourire. « Oh! alors comme ça tu veux rester auprès de moi *maintenant*? »

Ça peut vous paraître froid. Mais ma mère était toujours égale à elle-même, un peu taquine, comme elle l'aurait été si l'on avait passé cette journée ensemble *avant* sa mort.

Et elle avait raison. Il y avait eu tellement de fois où j'avais choisi de ne *pas* rester auprès d'elle. Trop occupé. Trop fatigué. Pas envie de m'embêter. *La messe?* Non, merci. *Dîner ensemble?* Désolé. *Passer la voir?* Peux pas, mais peut-être la semaine prochaine.

Ça pourrait facilement prendre toute une vie de compter le nombre d'heures que l'on aurait pu passer avec sa mère.

ELLE AVAIT PRIS MA main à présent. Après avoir quitté Mlle Thelma, on a simplement poursuivi notre route et des scènes se succédaient alors qu'on se glissait brièvement dans la vie d'une personne puis d'une autre. J'en ai reconnu certains, qui étaient de vieux amis de ma mère. D'autres étaient des hommes que je connaissais à peine et qui avaient été ses admirateurs jadis : un boucher du nom d'Armando, un conseiller fiscal pré-nommé Howard, et Gerhard, un horloger au nez plat. Ma mère n'a passé qu'un bref moment avec chacun, leur souriant ou s'asseyant devant eux.

« Alors, comme ça, ils pensent à toi en ce moment ? lui ai-je demandé.

— Mmm, a-t-elle fait en hochant la tête.

— Et tu vas partout où l'on pense à toi ?

— Non, pas partout. »

On est apparus près d'un homme qui regardait par une fenêtre. Et d'un autre sur un lit d'hôpital.

« Il y en a tellement, ai-je dit.

— C'était juste des hommes, Charley. Des hommes bien. Certains étaient veufs.

— Tu es sortie avec ?

— Non.

— Ils t'ont demandé ?

— Plusieurs fois.

— Pourquoi tu les vois maintenant ?

— Oh ! c'est un privilège de femme, je sup-pose. » Elle a joint les mains autour de sa bouche pour cacher un petit sourire. « C'est quand même agréable de savoir qu'on pense à vous, tu sais. »

Je l'ai dévisagée. Sa beauté était indéniable, même à près de quatre-vingts ans. Ses yeux se cachaient à présent derrière des lunettes, et ses cheveux, jadis noir de jais, étaient devenus gris, mais elle était toujours élégante en dépit de ses rides. Ces hommes à qui nous rendions visite avaient pu s'imaginer jadis la tenant dans leurs bras et l'embrassant. Eux pensaient à elle comme à une femme. Alors que moi je n'avais jamais pensé à elle sous cet angle-là. Je ne l'avais jamais connue en tant que Pauline, le prénom que ses parents lui avaient choisi, ou *Posey*, le surnom donné par ses amies ; à mes yeux, elle était juste *maman*, le surnom que moi je lui avais donné. Les images que je gardais d'elle la représentaient apportant un plat sur la table ou bien m'emmenant avec mes copains au bowling d'un coup de voiture.

« Pourquoi tu ne t'es pas remariée ? lui ai-je demandé.

— Charley, voyons, et elle a plissé les yeux.

— Non, je suis sérieux. Après qu'on a quitté la maison, tu ne t'es pas sentie seule ? »

Elle a détourné le regard. « De temps en temps. Mais bon, Roberta et toi avez eu des enfants, et donc moi des petits-enfants, et puis j'avais mes amies ici et... Ah! tu sais bien, Charley. Les années passent. »

Je l'ai regardée sourire. J'avais oublié le petit bonheur consistant à écouter ma mère parler d'elle.

« La vie défile vite, hein, Charley?

— Oui, ai-je marmonné.

— C'est tellement dommage de perdre du temps. On croit toujours qu'on en a tellement. »

J'ai pensé aux journées passées à picoler et aux matinées perdues à dormir. Aux nuits frappées d'amnésie. À tout ce temps passé à me fuir moi-même.

« Tu te souviens... » Elle s'est mise à rire. « ...Quand je t'ai déguisé en momie pour Halloween? Et qu'il a plu? »

J'ai baissé les yeux.

Tu as tout gâché.

Déjà à l'époque, la faute rejetée sur l'autre, voilà ce que je me suis dit.

« TU DEVRAIS MANGER », m'a-t-elle suggéré.

Et sur cette note nous nous sommes retrouvés une dernière fois dans la cuisine, autour de la table ronde. Sur laquelle étaient posés du poulet rôti, du riz jaune et des aubergines grillées, le tout très chaud, familier, puisqu'il s'agissait là de plats qu'elle avait cuisinés pour ma sœur et moi des centaines de fois. Mais au contraire de la sensation abasourdie que j'avais éprouvée la première fois dans cette pièce, voilà qu'à présent j'étais agité, déconcerté, comme si je sentais qu'il se préparait quelque chose de funeste. Elle m'a jeté un regard soucieux et j'ai essayé de détourner son attention.

« Parle-moi de ta famille, lui ai-je demandé.
– Charley, je t'ai déjà raconté. »

Ma tête semblait sur le point d'exploser. J'ai serré les mâchoires.

« Raconte-moi de nouveau. »

Et elle l'a fait. Elle m'a parlé de ses parents, immigrants tous les deux et morts avant ma naissance. De ses deux oncles et de sa tante folle qui refusait d'apprendre l'anglais et croyait encore aux malédictions familiales. De ses cousins, Joe et Eddie, qui vivaient sur la côte Ouest. Il y avait généralement une petite anecdote pour distinguer chacun (« Elle avait une peur bleue des chiens » ; « Il a essayé de s'engager dans la Marine à quinze ans »). Aujourd'hui, ça me semblait important de retenir qui était qui et qui avait fait quoi. Quand elle se lançait dans ces histoires, Roberta et moi avions pour habitude de lever les yeux au ciel. Et d'y prêter tout juste attention. Mais à une occasion, après l'enterrement, Maria m'avait questionné sur l'histoire de la famille – qui était relié à qui ? – et j'avais eu du mal à m'en souvenir. Une grande partie de cette même famille avait été enterrée avec ma mère. On ne devrait jamais laisser son passé disparaître de la sorte.

Et du coup, je me suis concentré de toutes mes forces cette fois-ci tandis que ma mère passait en revue toutes les branches de l'arbre généalogique, repliant un doigt pour chaque personne qu'elle venait d'évoquer. Après avoir fini, elle a joint les mains et entrelacé ses doigts, à l'image des personnes évoquées.

« Quoi qu'il en soiiiiit, a-t-elle à moitié chantonné, c'était...

– Tu m'as manqué, maman. »

Les mots ont tout bonnement jailli hors de ma bouche. Elle a souri mais n'a pas répondu. Elle semblait réfléchir à la phrase, prendre la mesure de mon intention, comme si elle remontait un filet de pêche.

Puis, tandis que le soleil plongeait dans l'horizon de ce monde étrange dans lequel nous nous trouvions, elle a fait claquer sa langue et m'a dit : « Il nous reste encore un arrêt, Charley. »

La journée qu'il aurait aimé revivre

LE MOMENT EST VENU de vous parler de la dernière fois où j'ai vu ma mère en vie, et de ce qu'elle a fait.

Ça remonte à huit ans, lorsque l'on a fêté ses soixante-dix-neuf ans. Elle avait plaisanté sur le fait que les gens feraient mieux de venir, parce que à partir de l'année prochaine elle « n'allait pas redire à quiconque que c'était son anniversaire ». Bien sûr, elle avait déjà annoncé ça à soixante-neuf ans, à cinquante-neuf, et peut-être même à vingt-neuf.

La fête consistait en un déjeuner chez elle, un samedi. Étaient présents ma femme et ma fille, ma sœur Roberta et son mari Elliot, leurs trois enfants (dont la plus jeune, Roxanne, portait des ballerines en quasi-permanence), plus une bonne vingtaine de personnes de notre ancien quartier, dont les vieilles dames que ma mère coiffait. Beau-coup d'entre elles étaient en mauvaise santé et l'une d'elles était même venue en chaise roulante. Quoi qu'il en soit, elles s'étaient toutes fait coiffer récemment, ça se voyait à leurs cheveux laqués qui formaient un casque, et je me suis demandé si ma mère n'avait pas organisé la fête juste pour que ces vieilles dames aient une raison de se faire belles.

« Je veux que mamie me maquille, elle peut ? m'a demandé Maria en collant à moi son corps encore gauche et adolescent.

– Et pourquoi ça ?

– Parce que j'en ai envie. Elle m'a dit que si tu étais d'accord elle le ferait. »

J'ai regardé Catherine. Qui a haussé les épaules. Maria m'a donné un coup vif dans le bras comme l'aurait fait un lapin avec sa patte arrière.

« S'il te plaît, s'il te plaît, s'il te plaît, s'il te plaît, s'il te plaît. »

J'ai suffisamment souligné combien ma vie m'avait paru étriquée et sombre après le base-ball. Mais il me faudrait ajouter que Maria était l'exception au beau milieu de tout ça. Durant cette période, c'est elle qui m'a offert mes plus grandes joies. J'ai essayé d'être un père correct et attentif aux petites choses. J'ai essuyé le ketchup sur son visage après qu'elle a mangé des frites. Je me suis assis à ses côtés pendant qu'elle était à son petit bureau, crayon en main, et l'ai aidée à résoudre des problèmes de maths. Je l'ai renvoyée dans sa chambre quand, à l'âge de onze ans, elle est descendue avec une mini-jupe. Et j'étais toujours prêt à lui envoyer un ballon ou à l'emmener à la piscine du coin pour des leçons de natation, content qu'elle reste un garçon manqué aussi longtemps que possible.

J'apprendrai plus tard, une fois que je n'ai plus fait partie de sa vie, qu'elle rédigeait des articles sportifs pour le journal de son université. Et dans ce mélange de mots et de sports, j'ai compris comment vos propres parents passent au travers de vous pour arriver jusqu'à vos enfants, que ça vous plaise ou non.

LA FÊTE battait son plein, les assiettes s'entrechoquaient et on entendait de la musique. La pièce bourdonnait de conversations. Ma mère a lu ses cartes d'anniversaire à voix haute comme s'il s'agissait de télégrammes de félicitations émanant de dignitaires étrangers, y compris les cartes pastel bon marché avec un lapin dessus (« Je me suis dit que je viendrais bien faire un saut pour te dire... que j'espère que ton anniversaire est une *réussite*! »). Une fois sa lecture terminée, elle ouvrait la carte pour la montrer à tout le monde, puis elle envoyait un baiser à son auteur : « Smaaack! »

À un moment donné, après les cartes mais avant le gâteau et les cadeaux, le téléphone a sonné. Chez ma mère, il pouvait sonner des lustres, parce qu'elle ne se précipitait jamais pour y répondre, finissant d'aspirer le dernier coin ou de laver la dernière vitre.

Et puisque personne ne répondait, je l'ai fait.

Si je pouvais changer le cours de ma vie, je l'aurais laissé sonner.

« ALLÔ? » AI-JE CRIÉ à cause du vacarme.

Ma mère avait encore un ancien modèle. Le fil faisait six mètres de long, parce qu'elle aimait marcher tout en parlant.

« Allô? » ai-je répété.

Je me suis éloigné du bruit et j'ai pressé le combiné très fort contre mon oreille.

« Aaaallô? »

J'étais sur le point de raccrocher quand j'ai entendu un homme se racler la gorge.

Puis mon père a dit : « Chick ? C'est toi ? »

DANS UN PREMIER TEMPS, JE n'ai pas répondu. J'étais abasourdi. Bien que le numéro de téléphone de ma mère n'ait jamais changé, c'était dur de croire que mon père l'avait composé. Son départ de la maison avait été tellement soudain et destructeur que sa voix me faisait l'effet de celle d'un revenant.

« Oui, c'est moi, ai-je chuchoté.

– Je t'ai cherché partout. J'ai appelé ta maison et ton bureau. Je me suis dit que tu pourrais...

– C'est l'anniversaire de maman.

– Oh ! c'est vrai.

– Tu voulais lui parler ? »

Je m'étais précipité vers cette phrase. J'imaginais mon père levant les yeux au ciel.

« Chick, j'ai parlé avec Pete Garner.

– Pete Garner...

– Des Pirates.

– Et alors ? »

Je me suis éloigné des invités. Tenant le combiné dans ma main libre, j'ai jeté un œil vers les deux vieilles femmes assises sur le

216

canapé, où elles mangeaient de la salade de thon dans des assiettes en carton.

« Ils organisent un match des anciens. Et Pete m'a expliqué que Freddie Gonzales s'était désisté. Une connerie concernant des papiers.

— Je ne comprends pas pourquoi...

— C'est trop tard pour qu'ils puissent lancer un appel demandant un remplaçant. Alors j'ai dit à Pete : " Hé, mais Chick est là. "

— Papa. Je ne suis pas là.

— Pourquoi pas ? Il sait pas où tu crèches.

— Un match des anciens ?

— Et alors il a dit : " Ah bon ? Chick est là ? " Et j'ai répondu : " Oui. Et en forme... "

— Papa...

— Et donc Pete a dit...

— Papa... »

Je le voyais venir. Je l'avais tout de suite vu venir. La seule personne qui avait eu plus de mal que moi à abandonner ma carrière de joueur de base-ball, c'était mon père.

« D'après Pete, ils vont te mettre sur la liste des joueurs. Tout ce que tu dois faire, c'est...

— Papa, je n'ai joué que...

— ... y aller.

— ... six semaines en première division.

— Vers dix heures...

– Je n'ai joué que..
– Et puis...
– On ne peut pas jouer dans un match des anciens avec...
– C'est quoi ton problème, Chick ? »

Je déteste cette phrase. Elle cloue le bec. *C'est quoi ton problème ?* Pas de bonne réponse à part : « Je n'ai pas de problème. » Ce qui de toute évidence était faux.

J'ai soupiré. « Ils ont dit qu'ils me mettraient sur la liste des joueurs ?

– C'est ce que je viens de t'expliquer..
– Pour jouer ?
– Tu es sourd ? C'est ce que je viens de te dire !
– Et c'est pour quand ?
– Demain. Les gars de la fédération seront là...
– Papa, demain ?
– Demain, oui. Pourquoi ?
– Mais il est déjà quinze heures...
– Tu seras dans l'abri des joueurs. Tu croiseras ces types. Tu entameras une conversation.
– Je croiserai qui ?
– N'importe qui. Anderson. Molina. Mike Junez, l'entraîneur, tu sais, le chauve. Tu mettras un point d'honneur à les croiser. Tu discuteras, et on ne sait jamais.

– Quoi ?

– Une ouverture. Une place d'entraîneur. Ou de moniteur de frappe. Quelque chose en seconde division. Tu glisses un pied dans la place...

– Pourquoi est-ce qu'ils me voudraient ?

– C'est comme ça que ces choses...

– Je n'ai pas eu une batte en main depuis...

– ... se passent, c'est comme ça que ça se passe, Chick. Tu glisses un pied dans la place...

– Mais je...

– Le truc, c'est qui tu connais. Après, c'est juste une affaire de *timing*...

– Papa, *j'ai* un boulot. »

Pause. Mon père était champion pour vous faire mal avec une simple pause.

« Écoute, a-t-il dit en soufflant, je me suis donné beaucoup de mal pour te dégoter ce truc. Alors tu veux y aller ou pas ? »

Sa voix avait changé, le battant s'était mis en colère et serrait les poings. Il avait nié mon existence actuelle aussi lestement que j'aurais aimé le faire. Du coup, j'ai fait profil bas, ce qui lui a donné l'avantage.

« Bouge-toi jusqu'ici, d'accord ? m'a-t-il dit.

– C'est l'anniversaire de maman.

– Demain, ça ne le sera plus. »

EN ME REPASSANT cette conversation aujourd'hui, il y a beaucoup de questions que je regrette de ne pas avoir posées. Se souciait-il le moins du monde que son ex-femme fête son anniversaire? Avait-il envie de savoir comment elle allait? Qui était là? À quoi ressemblait la maison? Si elle pensait jamais à lui? Avec affection? Ou pas? Ou si elle n'y pensait pas?

Il y a beaucoup de choses que je regrette de ne pas lui avoir demandées. Au lieu de quoi je lui ai dit que je rappellerais. J'ai raccroché. Et j'ai laissé cette occasion que mon père m'avait « dégotée » trotter dans ma tête.

J'y ai pensé pendant que ma mère découpait son gros gâteau et déposait chaque morceau sur une assiette en carton. Pendant qu'elle ouvrait ses cadeaux. Pendant que Catherine, Maria et moi posions pour une photo – les yeux de Maria à présent couverts d'ombre à paupières violette – et que sa copine Edith tenait l'appareil en disant : « Un, deux... Euh, attendez, je ne sais jamais comment marche ce truc. »

Et même alors qu'on était plantés là avec nos sourires forcés, moi, je visualisais ma frappe.

J'ai bien essayé de me concentrer. De mettre tout mon cœur dans la fête de ma mère. Mais mon père, voleur à plus d'un titre, m'avait dérobé ma concentration. Avant même que les assiettes en carton ne soient jetées, j'avais déjà filé vers le téléphone à l'étage et réservais un vol sur le dernier avion de la journée.

Ma mère avait l'habitude de commencer ses phrases par « Sois gentil... », comme dans « Sois gentil et descends la poubelle... » ou « Sois gentil et va à la supérette... ». Mais avec un seul coup de fil, le gentil garçon que j'avais été à mon arrivée s'était volatilisé et un autre l'avait remplacé.

J'AVAIS DÛ mentir à tout le monde. Ce n'était pas difficile. J'avais un *bipper* pour le travail et je l'ai appelé depuis le téléphone à l'étage puis suis redescendu vite fait. Quand il a sonné devant Catherine, j'ai pris l'air contrarié, râlant après ceux qui avaient « le culot de me déranger un samedi ».

J'ai feint l'appel que j'ai dû passer. Feint l'étonnement. Feint une histoire comme quoi j'étais obligé de rencontrer un client disponible uniquement le dimanche, et est-ce que ce n'était pas lamentable ?

« Ils ne peuvent pas attendre ? a demandé ma mère.

– Je sais, c'est dur à croire.

– Mais on devait bruncher ensemble demain matin !

– Écoute, qu'est-ce que je peux y faire ?

– Tu ne peux pas les rappeler ?

– Non, maman, je ne peux pas les rappeler », ai-je répondu sèchement.

Elle a baissé les yeux. J'ai soupiré. Plus vous défendez un mensonge et plus vous vous mettez en colère.

Une heure plus tard, je sautais dans un taxi. J'ai attrapé mon sac. J'ai serré Catherine et Maria dans mes bras, leurs sourires étaient forcés. J'ai lancé mes adieux à la cantonade. Tout le monde a crié en retour : « Au revoir... Salut... Au revoir... Bonne chance... »

J'ai entendu la voix de ma mère en dernier : « Je t'aime, Char... »

La porte a claqué au milieu de sa phrase.

Et je ne l'ai plus jamais revue.

Les Fois Où Ma Mère M'a Défendu

« *Mais qu'est-ce que tu connais à la gestion d'un restaurant? m'a demandé ma femme.*

– Il s'agira d'un bar sportif. »

On est assis à la table de la salle à manger. Ma mère est là aussi, elle joue avec la petite Maria. C'était après que j'ai abandonné le base-ball. Un ami voulait que je devienne son associé dans une nouvelle affaire.

« *Mais est-ce que ce n'est pas difficile de tenir un bar? s'inquiète Catherine. Est-ce qu'il n'y a pas des choses que tu as besoin de savoir?*

– Il sait, lui. Il a déjà travaillé dans ce genre d'endroits.

– Qu'est-ce que vous en pensez, maman? » *lui demande Catherine.*

Ma mère prend les mains de Maria, les lance vers le haut puis les rattrape.

« *Il te faudrait travailler le soir, Charley? me demande-t-elle.*

– *Quoi ?*

– *Le soir. Est-ce qu'il te faudrait travailler le soir ?*

– *Je serai investisseur, maman, pas serveur.*

– *C'est beaucoup de notre argent,* fait remarquer Catherine.

– *Difficile de gagner si on n'investit pas,* dis-je.

– *Tu n'as pas d'autres ouvertures ? »* me demande Catherine.

Je soupire bruyamment. À dire vrai, je n'en sais rien. Quand on pratique un sport, on s'exerce à ne pas trop penser à autre chose. Impossible de m'imaginer derrière un bureau. Or, là, il s'agit d'un bar. Et les bars, je connais. L'alcool rythme déjà mon existence quotidienne et, secrètement, c'est attirant d'envisager d'en avoir sous la main en permanence. Et puis, l'endroit contient le mot « sports ».

« *C'est où ?* demande ma mère.

– *À une demi-heure d'ici environ.*

– *Tu devras y aller souvent ?*

– *Je ne sais pas.*

– *Mais pas le soir ?*

– *Pourquoi tu n'arrêtes pas de me poser cette question ? »*

Elle agite un doigt sous le nez de Maria. « *Tu as une fille, Charley.* »

Je secoue la tête. « Je sais, maman, s'il te plaît. »

Catherine se lève. Elle débarrasse la table. « Ça me fait peur, c'est tout. Je te le dis comme je le pense. » Je m'affale. Je garde les yeux fixés par terre. Quand je les lève, ma mère me regarde. Elle pose un doigt sous le menton qu'elle relève légèrement, me signalant à sa façon que je devrais faire pareil.

« Tu sais ce que je pense ? me lance-t-elle. Qu'il faut essayer des choses, dans la vie. Est-ce que c'est une chose en laquelle tu crois, Charley ? »

Je hoche la tête en signe d'acquiescement.

« Croyance, travail, amour, tu possèdes ces trois choses et avec elles tu peux faire ce que tu veux. »

Je me lève. Ma femme hausse les épaules. L'humeur a changé. Les chances sont de mon côté.

Quelques mois plus tard, le bar sportif ouvre.

Deux années plus tard, il ferme.

De toute évidence, il fallait davantage que ces trois choses-là. Si ce n'était pas le cas dans son monde, ça l'était dans le mien en tout cas.

Le match

JE SUIS DESCENDU DANS UN *Best Western Hotel* la veille du match des anciens, ce qui m'a rappelé l'époque où j'étais professionnel, nos déplacements d'alors. Je ne suis pas parvenu à dormir. Je me suis demandé combien de spectateurs il y aurait dans le stade. Et si je pouvais encore renvoyer une balle. À 5 h 30, je me suis levé pour tenter des étirements. La lumière rouge de mon téléphone clignotait. J'ai appelé la réception. Ça a sonné au moins vingt fois.

« Il semblerait que j'aie un message ? ai-je demandé quand quelqu'un a fini par répondre.

– Une seconde, a grogné la voix, il y a un colis pour vous. »

Je suis descendu. Le réceptionniste est apparu avec une vieille boîte à chaussures.

Mon nom était scotché dessus. Elle a bâillé. Je l'ai ouverte.

Mes chaussures à crampons.

Apparemment, mon père les avait gardées, toutes ces années. Il avait dû venir les déposer pendant la nuit, sans même faire téléphoner dans ma chambre. J'ai cherché un mot, mais il n'y en avait pas. Juste les chaussures, avec toutes leurs anciennes éraflures.

JE SUIS ARRIVÉ TÔT au stade. J'ai demandé au taxi de me laisser près de l'entrée des joueurs, comme autrefois, mais le gardien m'a suggéré d'emprunter plutôt celle des employés, au même titre que les vendeurs ambulants de bière et de hot dogs. Le tunnel était caverneux et sentait le graillon. Ça faisait drôle de revenir dans ce stade après toutes ces années. Pendant tellement longtemps, j'avais rêvé de m'y refaire une place. Sauf que maintenant j'allais jouer un match de gala, un match des anciens qui visait à ramener un maximum d'argent.

Je me suis rendu jusqu'à un vestiaire annexe où l'on était supposé se changer. Un employé planté à la porte a vérifié mon nom sur une liste et m'a donné une tenue pour la journée.

« Où est-ce que je peux...

– N'importe où, par là », m'a-t-il répondu en tendant le doigt vers une rangée de casiers en métal bleu graisseux.

La pièce était vide à part deux types aux cheveux blancs qui discutaient dans un coin. Ils m'ont fait un signe du menton mais n'ont pas interrompu leur conversation pour autant. Je me sentais gauche, comme si je me retrouvais à une réunion d'anciens élèves d'une classe qui n'aurait pas été la mienne. Mais, bon, j'avais passé en tout et pour tout six semaines en première division. Ce n'est pas comme si je m'y étais fait des amis à vie.

MA TENUE AVAIT UN « BENETTO » cousu sur le dos, mais à y regarder de plus près on voyait sur le tissu l'ombre du nom précédent. Je l'ai passée. J'ai agité les bras dans les manches. Après l'avoir complètement enfilée, je me suis retourné, et j'ai vu Willie « Bomber » Jackson à un mètre de là.

Tout le monde connaissait Jackson. C'était un batteur formidable, célèbre à la fois pour sa puissance et pour son arrogance sur la plaque. À une occasion, durant les matchs de *play off*, il a tendu sa batte vers la clôture de droite, annonçant sa future victoire et la décrochant grâce à un *home run* du tonnerre. Il vous suffit de faire ça une seule fois dans une carrière pour être immortalisé, étant donné le nombre incalculable de rediffusions télévisées. Et ce fut son cas.

Et voilà qu'à présent il était assis sur un tabouret à côté de moi. Il était rondelet, presque boudiné dans son sweat en velours bleu, mais il se dégageait toujours de lui quelque chose de majestueux. Je n'avais jamais joué avec lui, mais il m'a adressé un signe de tête et j'ai fait de même.

« Quoi de neuf ? m'a-t-il demandé.

– Je m'appelle Chick Benetto », lui ai-je répondu en lui tendant la main. Il m'a attrapé les doigts du milieu et les a secoués. Lui ne s'est pas présenté. De toute évidence, ce n'était pas nécessaire.

« Et qu'est-ce que tu deviens ces jours-ci, Chuck ? »

Je ne l'ai pas repris. Je lui ai répondu que j'étais dans le « marketing ». En espérant qu'il ne demanderait pas de détails. Il n'en a pas demandé.

« Et toi ? Toujours dans la télé ?

– Mmm. Un peu. Mais surtout dans les investissements. »

J'ai hoché la tête. « Super. Ouais. Bonne idée. Les investissements.

– Les fonds communs de placements. Quelques produits défiscalisés, les Sicav, des trucs du genre. Surtout les fonds communs. »

J'ai hoché la tête à nouveau. Je me sentais déjà pas très à l'aise dans cette tenue.

« Tu boursicotes ? » m'a-t-il demandé.

J'ai fait un signe de la main. « Oh ! tu sais, comme ci comme ça. » Ce qui était pur mensonge. Je n'y connaissais strictement rien.

Il m'a dévisagé en bougeant la mâchoire.

« Eh bien, écoute. Je peux te filer des tuyaux. »

L'espace d'un instant, j'ai senti que Jackson, fidèle à sa réputation, avait envie de me donner un coup de pouce, et je me suis mis à inventer mentalement l'argent que je ne possédais pas. Mais alors qu'il plongeait la main dans sa poche, pour en retirer une carte de visite, je suppose, quelqu'un a crié : « JACKSON, ESPÈCE DE GROS CON ! » On s'est retournés de concert pour se retrouver nez à nez avec Spike Alexander, et Jackson et lui se sont serrés tellement fort qu'ils ont failli me tomber dessus. J'ai dû me sortir gauchement de leur chemin.

Une minute plus tard, ils étaient à l'autre bout de la pièce, entourés par les joueurs, et ce fut la fin de mes débuts dans le marché des fonds communs de placement.

La nuit

LE MATCH DES ANCIENS a eu lieu une heure avant le véritable match, ce qui veut dire que les gradins étaient quasiment vides quand on a commencé. On entendait la musique habituelle. Dans les haut-parleurs, une voix a accueilli la foule clairsemée. On a été présentés par ordre alphabétique, en commençant par un joueur du nom de Rusty Allenback, qui avait joué vers la fin des années 1940, suivi par Willie « Bobo » Barbosa, un joueur populaire dans les années 1960 et au sourire immense. Il a couru en saluant de la main. Les fans l'applaudissaient encore quand on a appelé mon nom. Le présentateur a annoncé « pour l'équipe gagnante de 1973... » et on a entendu un frémissement d'anticipation suivi de « ...Chuck Benetto », puis il y a eu une retombée soudaine du volume, l'enthousiasme cédant à la politesse.

Je suis sorti en flèche de l'abri des joueurs et j'ai failli heurter les jambes de Barbosa. J'ai essayé de prendre ma place avant la fin des applaudissements pour éviter cet embarrassant silence durant lequel on peut entendre ses propres pieds sur le sable recouvert de gravier. Quelque part dans cette foule, il y avait mon paternel, que je m'imaginais les bras croisés. Pas d'applaudissements de l'équipe.

ET PUIS LE MATCH LUI-MÊME a eu lieu. On aurait dit une gare ferroviaire dans cet abri, les gars n'arrêtaient pas d'entrer et sortir, d'attraper des battes et de se rentrer dedans tandis que leurs crampons résonnaient sur le sol en béton. J'ai rattrapé une balle, ce qui m'a soulagé parce que être accroupi après toutes ces années me brûlait les cuisses depuis le troisième lancer. Je n'arrêtais pas de faire passer mon poids d'un pied sur l'autre, au point qu'un batteur, un grand type aux bras poilus du nom de Teddy Slaughter, m'a lancé : « Hé, mec, ça te dérangerait d'arrêter de sautiller là-bas ? »

Pour la foule qui commençait à arriver, je suppose que ça ressemblait à du base-ball. Huit joueurs, un lanceur, un batteur et un arbitre vêtu de noir. Mais on était loin de la danse fluide et puissante de nos jeunes années. On était lents, maintenant. Gauches. Nos frappes étaient lentes et nos lancers étaient hauts et mous, il y avait trop d'air en dessous.

Dans notre abri, il y avait des hommes ventripotents qui avaient été clairement rattrapés par l'âge et qui balançaient des vannes du genre : « Punaise, qu'on me donne de l'oxygène ! » Et puis il y avait ceux qui s'accrochaient toujours au code consistant à prendre le match au sérieux. Je me suis assis à côté d'un vieux joueur portoricain qui devait avoir au moins soixante ans et qui n'arrêtait pas de mâcher du tabac puis de cracher par terre en marmonnant : « C'est parti, allez, c'est parti... »

Quand je suis finalement arrivé sur la plaque, le stade était presque à moitié plein. J'ai exécuté quelques frappes à vide pour m'entraîner, puis je me suis mis en position. Un nuage a caché le soleil. J'ai entendu un vendeur ambulant crier, senti de la transpiration sur la nuque et bougé les pieds. Et, bien que j'aie déjà fait ça un million de fois dans ma vie – agripper le manche de la batte, relever les épaules, serrer les mâchoires, aiguiser mon regard –, mon cœur battait à tout rompre. Je crois que j'avais juste le désir de survivre quelques secondes de plus. Le premier lancer est arrivé. Je l'ai loupé. L'arbitre a dit : « Première balle », et j'ai eu envie de le remercier.

PENDANT QUE QUELQUE CHOSE se déroule, pensez-vous à ce qui se passe ailleurs ? Après son divorce, ma mère s'asseyait sur le perron de derrière au coucher du

soleil, y fumait une cigarette et disait : « Charley, alors que le soleil se couche ici, il se lève
dans un autre endroit du monde. En Austra-
lie, en Chine ou ailleurs. Tu peux vérifier
dans l'encyclopédie. »

Elle soufflait sa fumée et fixait la rangée de
jardins carrés ornés de cordes à linge et de
balançoires.

« Le monde est tellement grand qu'il se
passe toujours quelque chose quelque part »,
disait-elle, songeuse.

Là-dessus, elle avait raison. Il se passe toujours quelque chose quelque part. Alors,
quand je me suis retrouvé debout sur la
plaque à ce match des anciens, à fixer un lanceur aux cheveux gris ; quand il a lancé ce qui
était autrefois son boulet de canon, mais qui
maintenant n'était plus qu'une simple balle
flottant vers ma poitrine ; quand j'ai fait tour-
noyer ma batte puis entendu le coup sec et
familier ; quand j'ai laissé tomber ma batte et
que je me suis mis à courir, convaincu que
j'avais fait quelque chose de fabuleux,
oubliant mes anciens repères, que mes bras
et jambes n'avaient plus la puissance d'autrefois et qu'en vieillissant les murs étaient plus
loin ; quand j'ai levé les yeux et vu ce coup
solide, *home run* éventuel, arriver en direction

du gant du joueur de seconde base et se révéler un vrai « pétard mouillé », tandis qu'une
voix dans ma tête criait pour que je marque :
« Lâche-la ! Lâche-la ! » même après que le
joueur de seconde base avait refermé son
gant sur mon ultime offrande à ce jeu affolant
– au beau milieu de tout ça, ma mère, ainsi
qu'elle l'avait souligné autrefois, ma mère
vivait tout autre chose à Pepperville Beach.

Son radio-réveil diffusait du Big Band. Ses
oreillers avaient été récemment tapotés. Et
son corps ressemblait à une poupée dislo-
quée, sur le sol de sa chambre à coucher où
elle était venue chercher ses nouvelles
lunettes rouges et où elle s'était brutalement
écroulée.

Une crise cardiaque.

Elle venait de rendre son dernier souffle.

UNE FOIS LE MATCH des anciens terminé, on a retraversé le tunnel et croisé certains des joueurs du moment se dirigeant vers le vrai match. On s'est jaugés mutuellement. Ils étaient jeunes, leur peau était lisse. Nous, on était gros et dégarnis. J'ai salué d'un signe de tête un gars musclé qui portait un casque protecteur de receveur. J'ai eu l'impression de me croiser moi-même des années auparavant.

Dans le vestiaire, j'ai rassemblé mes affaires en vitesse. Certains d'entre nous ont pris des douches, mais ça semblait ridicule. On n'avait pas travaillé si dur que ça. J'ai plié mon maillot et l'ai gardé en souvenir. Puis j'ai refermé la fermeture Éclair de mon sac. Je suis resté assis quelques minutes, totalement habillé. Tout m'a paru futile à ce moment-là.

Je suis sorti par cette même entrée des employés. Et là, j'ai vu mon père qui fumait une cigarette en regardant le ciel. Il a paru étonné de me voir.

« Merci pour les chaussures, ai-je dit en les lui tendant.

– Qu'est-ce que tu fiches ici ? m'a-t-il demandé, contrarié. Est-ce que tu ne peux pas trouver quelqu'un à qui parler à l'intérieur ? »

Dans un souffle sarcastique, je lui ai lancé :
« J'sais pas, papa, je suppose que je suis sorti
te dire bonjour. Ça fait quoi, deux ans que je
ne t'ai pas vu ?

— Seigneur. » Il a secoué la tête de dégoût.
« Comment tu vas pouvoir réintégrer le
milieu si tu restes planté ici à me parler ? »

Chick découvre que sa maman a disparu

« ALLÔ ? »

La voix de ma femme semblait tremblante, perturbée.

« Salut, c'est moi, ai-je dit. Désolé d'avoir...

– Oh ! Chick, oh ! mon Dieu, on ne savait pas où te joindre. »

J'étais prêt avec mon attirail de mensonges – le client, la réunion, tout ça –, mais voilà qu'à présent ils n'avaient plus lieu d'être.

« Qu'est-ce qui se passe ? ai-je demandé.

– Ta maman. Oh ! mon Dieu, Chick. Tu étais où ? On ne savait...

– Quoi ? Quoi ? »

Elle s'est mise à pleurer, à haleter.

« Dis-moi, ai-je insisté. *Quoi ?*

– Une crise cardiaque. C'est Maria qui l'a découverte.

– Qu... ?

– Ta mère... Elle est morte. »

J'ESPÈRE QUE VOUS n'aurez jamais à entendre ces mots. *Ta mère. Elle est morte.* Ils sont différents des autres mots, trop énormes pour trouver leur place dans vos oreilles, à la fois lourds et puissants, ils vous martèlent les tempes comme une boule de démolition qui n'en finirait pas de venir vers vous, jusqu'à faire éclater un trou suffisamment large pour prendre place dans votre cerveau. Et, en faisant cela, ces mots vous détruisent.

« Où ?

– Chez elle.

– Où, je veux dire, quand ? »

Tout à coup, les détails semblaient extrêmement importants. Ils offraient une réalité à laquelle s'accrocher, une façon de m'insérer dans l'histoire.

« Comment est-ce qu'elle est...

– Chick, m'a répondu Catherine doucement, file à Pepperville Beach, d'accord ? »

J'ai loué une voiture et conduit toute la nuit. Avec le choc et le chagrin sur le siège arrière et ma culpabilité sur le siège avant. J'ai atteint Pepperville Beach juste avant l'aurore. Je me suis garé dans l'allée. J'ai coupé le contact. Le ciel était d'un violet fade. Ma voiture sentait la bière. Pendant que j'étais assis là, à regarder l'aube se lever tout autour de moi, je me suis rendu compte que je n'avais pas appelé mon père pour lui annoncer la nouvelle. Tout au fond de moi, j'ai senti que je ne les reverrais jamais. Ce qui fut effectivement le cas. Dans la même journée, j'ai perdu mes deux parents, l'un s'est enfoncé dans la honte et l'autre dans les ténèbres. Et, à cette pensée révoltante, j'ai éclaté en sanglots.

Une troisième et dernière visite

MA MÈRE ET MOI MARCHIONS à présent à travers une ville qui m'était inconnue. C'était sans surprise, avec une station-service à un coin et une supérette à l'autre. Les poteaux téléphoniques et l'écorce des arbres étaient de la même couleur cartonneuse, et la plupart de ces mêmes arbres avaient perdu leurs feuilles.

On s'est arrêtés devant un immeuble de deux étages, en brique jaune pâle.

« On est où ? » lui ai-je demandé.

Ma mère a balayé l'horizon du regard. Le soleil s'était déjà couché.

« Tu aurais dû manger plus au dîner », a-t-elle répondu.

J'ai levé les yeux. « *Dis*-moi, allez. »

« Quoi ? J'aime savoir que tu as mangé, c'est tout. Tu dois prendre soin de toi, Charley. »

J'ai reconnu dans son expression toute la force de la sollicitude maternelle. Et à ce moment précis, je me suis rendu compte que quand on regarde sa mère, on regarde l'amour le plus pur qu'il y ait au monde.

« Tu sais quoi, maman ? J'aurais aimé qu'on fasse ça avant. Juste...

– Avant ma mort ? »

Ma voix s'est faite craintive. « Oui.

– J'étais là, Charley.

– Je sais.

– Tu étais occupé. »

Le mot m'a fait frissonner. Il semblait tellement creux à présent. J'ai vu une vague de résignation passer sur son visage. À ce moment-là, je crois que nous songions tous deux combien les choses auraient pu être différentes si on avait pu les revivre.

« Est-ce que j'ai été une bonne mère ? » m'a-t-elle demandé.

J'ai ouvert la bouche pour répondre, mais un éclair aveuglant l'a effacée de ma vue. J'ai alors senti de la chaleur sur son visage, comme s'il avait été brûlé par le soleil.

Puis, une nouvelle fois, cette voix tonitruante.

« CHARLES BENETTO ! OUVREZ LES YEUX ! »

J'ai cligné péniblement des yeux et tout à coup je me suis retrouvé à des rues derrière ma mère, comme si elle avait continué de marcher et que moi je m'étais arrêté. J'ai cligné à nouveau des yeux et elle était plus loin encore. Je la distinguais à peine. J'ai pressé le pas, doigts tendus, épaules prêtes à se déboîter. J'ai senti que j'essayais de l'appeler, que le mot vibrait dans ma gorge, un son guttural. Ça m'a pris le peu de forces qui me restait.

Et puis la revoilà à mes côtés, me prenant calmement la main comme si de rien n'était. On a glissé à nouveau vers notre point de départ.

« Il nous reste encore un arrêt », a-t-elle répété.

ELLE M'A OBLIGÉ À REGARDER vers le bâtiment de brique jaune pâle et l'on s'est retrouvés à l'intérieur, dans un appartement bas de plafond et lourdement meublé. La chambre était petite. Le papier peint était vert clair. Au mur, une peinture représentant des vignes. Au-dessus du lit, une croix. Dans le coin, une coiffeuse en bois clair, en dessous d'un grand miroir. Et devant ce miroir, une femme aux cheveux foncés, assise là, dans une robe de chambre rose pâle.

Elle semblait avoir dans les soixante-dix ans, avec un long nez étroit et des pommettes saillantes sous sa peau mate et flasque. Elle a passé une brosse dans ses cheveux, lentement, l'air absent, les yeux baissés vers la coiffeuse.

Ma mère s'est avancée derrière elle. Elle n'a rien dit. À la place, elle a tendu ses mains qui se sont fondues dans celles de la femme, l'une tenant la brosse et l'autre accompagnant ses mouvements.

La femme a jeté un coup d'œil vers le haut, comme si elle vérifiait son reflet dans le miroir, mais ses yeux étaient brumeux et distants. Je pense qu'elle voyait ma mère.

Aucune des deux n'a ouvert la bouche.

« Maman, ai-je fini par chuchoter. C'est qui ? »

Ma mère s'est retournée, les mains dans les cheveux de la femme.

« L'épouse de ton père. »

Les Fois Où Je N'ai *Pas* Défendu Ma Mère

Prenez la pelle, a dit le prêtre du regard. C'était pour jeter de la terre sur le cercueil de ma mère à moitié descendu dans le caveau. Il nous a expliqué qu'elle avait remarqué cette coutume lors de funérailles juives et avait demandé le même rituel pour les siennes. Elle trouvait que ça aidait l'assistance à accepter la disparition du corps et l'obligeait à se concentrer sur l'esprit à la place. J'entendais mon père la réprimander : « Posey, je t'assure que tu inventes ça de toutes pièces. »

J'ai pris la pelle comme un enfant à qui l'on tend un fusil. J'ai regardé ma sœur Roberta, dont le visage était caché par une voilette noire et qui semblait trembler. J'ai regardé ma femme, qui fixait ses pieds, des torrents de larmes coulant le long de ses joues, sa main droite lissant de manière rythmique les cheveux de notre fille. Seule Maria me regardait. Et ses yeux semblaient dire : « Ne le fais pas, papa, rends-la. »

Pour un jour de plus

Au base-ball, un joueur sait quand il tient en main sa propre batte et quand il tient celle d'un autre. Et c'était comme ça que je me sentais avec cette pelle à la main. C'était celle de quelqu'un d'autre. Elle ne m'appartenait pas. Elle appartenait à un fils qui n'avait pas menti à sa mère. À un fils dont les derniers mots n'avaient pas été des mots de colère. À un fils qui ne s'était pas précipité pour satisfaire le dernier caprice de son paternel lointain, paternel qui, histoire d'être égal à lui-même, était absent de cette réunion de famille puisqu'il avait décrété : « C'est mieux si je ne suis pas là, je ne veux pas contrarier qui que ce soit. »

Ce fils-là serait resté en famille ce week-end-là, il aurait dormi avec sa femme dans la chambre d'amis et aurait partagé un brunch dominical. Ce fils-là aurait été là quand sa mère se serait écroulée. Ce fils-là aurait pu la sauver.

Mais ce fils-ci n'était pas là.

Ce fils-ci avait encaissé, et obéi aux ordres : il avait jeté de la terre sur le cercueil. Qui avait atterri en se dispersant vilainement, quelques morceaux de gravier faisant du bruit en tombant sur le bois verni. Et, bien que l'idée ait été la sienne, j'ai entendu la voix de ma mère dire « Oh ! Charley, comment peux-tu ? »

Tout s'éclaire

L'ÉPOUSE DE TON PÈRE.

Comment expliquer cette phrase? Impossible. Je peux juste vous répéter ce que l'« esprit » de ma mère m'a dit, debout dans cet étrange appartement, avec au mur une peinture représentant des vignes.

« L'épouse de ton père. Ils s'étaient rencontrés pendant la guerre. Ton père avait été envoyé en Italie. Il t'en avait parlé, non? »

À plusieurs reprises, oui. L'Italie, fin 1944, les Apennins et la vallée du Pô, pas loin de Bologne.

« Elle vivait dans un village là-bas. Elle était pauvre. Lui était soldat. Tu sais comment vont les choses. À l'époque, ton père était très, je ne sais pas comment dire, quel est le mot? Entreprenant? »

Ma mère a regardé ses mains effleurer les cheveux de la femme.

« Tu la trouves jolie, Charley ? Moi oui, depuis toujours. Et elle l'est encore, même maintenant, non ? »

La tête me tournait. « Qu'est-ce que tu veux dire, son épouse ? C'était *toi*, son épouse. »

Elle a hoché la tête lentement.

« Oui, c'est vrai.

— On ne peut pas en avoir deux.

— Non, a-t-elle chuchoté. Tu as raison. On ne peut pas. »

LA FEMME A RENIFLÉ. Ses yeux avaient l'air rouges et fatigués. Elle ne m'a pas vu. Mais elle semblait écouter ma mère.

« Je crois que ton père a eu peur, pendant la guerre. Il ne savait pas combien de temps ça allait durer. Beaucoup d'hommes ont été tués dans ces montagnes. Peut-être qu'elle lui offrait une certaine sécurité. Peut-être qu'il a cru qu'il ne reviendrait jamais. Comment savoir ? Il lui fallait toujours un plan à ton père, il le disait souvent : " Il faut avoir un plan. Il faut avoir un plan. "

— Je ne comprends pas. Papa t'a pourtant écrit cette lettre.

— Oui.

— Il t'a demandée en mariage. Et tu as accepté. »

Elle a soupiré. « Quand il s'est rendu compte que la guerre touchait à sa fin, je suppose qu'il a eu envie d'un autre plan – l'ancien, avec moi. Les choses changent quand on n'est plus en danger, Charley. Et donc – elle a soulevé les cheveux de la femme de sur ses épaules – il l'a abandonnée. »

Elle a fait une pause.

« Ton père était doué pour ça. »

J'ai secoué la tête. « Mais pourquoi tu as...

– Il ne m'en a jamais parlé, Charley. Il n'en a jamais parlé à personne. Mais, à un moment donné, après toutes ces années, il l'a retrouvée. À moins que ce ne soit elle. Pour finir, il l'a fait venir en Amérique. Et il a mis en place une vie parallèle. Il a même acheté une deuxième maison. À Collingswood, là où il avait fait construire son nouveau magasin, tu te souviens ? »

La femme a reposé la brosse. Ma mère a retiré ses mains et les lui a glissées sous le menton.

« C'était son *ziti* que ton père voulait que je prépare, toutes ces années. » Elle a soupiré. « Je ne sais pas pourquoi, mais ça me dérange encore. »

ET PUIS ELLE m'a raconté le reste de l'histoire. Comment elle avait découvert le pot aux roses. Comment elle lui avait demandé à une occasion pourquoi ils n'avaient jamais reçu de note de l'hôtel à Collingswood. Comment il avait menti et expliqué avoir payé en liquide, ce qui avait éveillé ses soupçons. Comment elle avait pris une baby-sitter un vendredi soir puis conduit nerveusement jusqu'à Collingswood. Comment elle y avait arpenté les rues, jusqu'à ce qu'elle voie sa Buick garée dans l'allée d'une drôle de maison et qu'elle éclate en sanglots.

« Je tremblais, Charley. Chaque pas était une torture. En cachette, je me suis approchée d'une fenêtre et j'ai regardé à l'intérieur. Ils mangeaient. Et ton père avait défait sa chemise comme il le faisait toujours chez nous, on voyait son tricot de corps. Il était assis là devant son assiette, sans se presser, détendu, comme s'il habitait là, passant les plats à cette femme et... »

Elle s'est arrêtée.

« Tu es sûr que tu veux savoir ? »

J'ai hoché la tête, l'air absent.

« Et à leur fils.

– Quoi ?

– Il était juste un peu plus âgé que toi.

– Un... garçon ? »

À ce moment-là, ma voix s'est éteinte.

« Je suis désolée, Charley. »

Je me sentais fébrile, comme si j'allais m'évanouir. Même pour raconter ça maintenant, j'ai du mal à trouver les mots. Mon père, qui avait exigé ma dévotion, ma loyauté à son équipe, à *notre* équipe, aux hommes de notre famille, mon père avait un autre *fils* ?

« Est-ce qu'il jouait au base-ball ? » ai-je chuchoté.

Ma mère m'a regardé, l'air impuissant.

« Charley, m'a-t-elle dit au bord des larmes, je n'en sais fichtre rien. »

LA FEMME à la robe de chambre a ouvert un petit tiroir et en a sorti quelques papiers qu'elle a feuilletés. Était-elle vraiment la personne que ma mère affirmait qu'elle était ? Elle avait l'air italienne. Et d'avoir l'âge correspondant. J'ai essayé de m'imaginer mon père la rencontrant, de les imaginer ensemble. J'ignorais tout de cette personne, de sa vie, de cet appartement, mais je sentais mon paternel partout dans la pièce.

« Ce soir-là, Charley, arrivée devant la maison, je me suis assise au bord du trottoir. J'ai attendu. Je n'avais même pas envie de le voir arriver dans l'allée. Il est rentré après minuit et je n'oublierai jamais son expression quand les phares m'ont éclairée, parce que à ce moment précis je pense qu'il a su que je savais.

« J'ai grimpé dans la voiture et lui ai fait remonter toutes les vitres. Je ne voulais pas qu'on m'entende. Et puis j'ai explosé. J'ai explosé d'une telle manière qu'il ne pouvait m'opposer aucun de ses mensonges. Il a fini par admettre qui elle était, où ils s'étaient rencontrés et ce qu'il avait essayé de faire. La tête me tournait. Mon estomac me faisait tellement mal que je n'arrivais pas à m'asseoir droite. On s'attend à beaucoup de choses dans un mariage, Charley, mais pas à être *remplacée* comme ça. »

Elle s'est tournée vers le mur et son regard est tombé sur le tableau aux vignes.

« Je crois que ça a mis quelques mois avant de m'atteindre. Dans cette voiture, j'étais furieuse, le cœur en miettes. Il m'a assuré qu'il était désolé. Qu'il ignorait tout de son autre fils, que quand il avait appris son existence il s'était senti obligé de faire quelque chose. Difficile de démêler le vrai du faux. Même en criant, ton père avait réponse à tout.

« Mais rien de tout ça n'avait d'importance. C'était fini. Tu comprends ? J'aurais pu lui pardonner pratiquement tout, dès lors que c'était moi qui subissais. Mais là, c'était aussi une trahison par rapport à ta sœur et à toi. »

Elle s'est tournée vers moi.

« Tu as une famille, Charley. Pour le meilleur ou pour le pire. Tu as une famille. Tu ne peux pas l'échanger. Tu ne peux pas l'améliorer. Tu ne peux pas lui mentir. Tu ne peux pas en mener deux de front et passer de l'une à l'autre.

« Rester aux côtés de sa famille, c'est ça qui en *fait* une famille. »

Elle a soupiré.

« Et donc j'ai dû prendre une décision. »

J'ai essayé d'imaginer à quoi avait dû ressembler cet horrible moment. Dans une voiture, passé minuit, toutes les vitres fermées – de l'extérieur, deux silhouettes criant silencieusement. J'ai essayé de m'imaginer comment notre famille dormait dans une maison pendant qu'une autre famille dormait dans une autre, avec dans chacune les vêtements de mon père accrochés dans l'armoire.

J'ai essayé de m'imaginer la charmante Posey de Pepperville Beach perdant ce soir-là son ancienne vie, pleurant et hurlant tandis que tout s'effondrait sous ses yeux. Et je me suis rendu compte que, sur cette liste des

Fois Où Ma Mère M'avait Défendu, celle-ci était à mettre en tête.

« Maman, ai-je fini par chuchoter, qu'est-ce que tu lui as dit?

— De partir. Et de ne plus jamais remettre un seul pied à la maison. »

Et donc, je savais à présent ce qui s'était passé la nuit qui avait précédé l'incident des Corn Flakes.

IL Y A DE NOMBREUSES CHOSES dans ma vie que j'aimerais pouvoir reprendre. De nombreux moments que je mettrais en scène autrement si j'en avais l'occasion. Mais celui que je changerais, si je pouvais en changer un seul, ce serait non pour moi mais pour ma fille Maria, venue voir sa grand-mère ce dimanche après-midi-là et qui l'avait trouvée affalée sur le sol de la chambre, le bras replié sous sa poitrine. Elle avait essayé de la réveiller. S'était mise à crier. Était sortie en trombe de la chambre puis y était retournée, tiraillée entre appeler à l'aide et ne pas la laisser seule. Elle n'aurait jamais dû avoir à assumer ça. C'était juste une gosse.

Je pense qu'à partir de là, ça a été dur pour moi de me retrouver face à ma fille ou à ma femme. Je pense que c'est pour ça que j'ai tant bu. Que je suis parti gémir dans une autre vie parce que, profondément, je ne sentais pas que je méritais l'ancienne. J'ai fui. Là-dessus, je suppose que mon père et moi étions tristement semblables. Quand, deux semaines plus tard, dans le silence de notre chambre, j'ai confessé à ma femme où j'avais été ce week-end-là, qu'il n'y avait jamais eu de voyage d'affaires mais que j'avais joué au base-ball dans un stade de Pittsburgh pendant que ma mère était étendue morte, elle a été plus médusée qu'autre chose. Elle n'arrêtait pas de donner l'impression de vouloir prononcer un mot qui n'est jamais sorti.

Pour finir, son seul commentaire a été : « À ce stade, quelle importance ? »

MA MÈRE A TRAVERSÉ la petite chambre et s'est plantée devant l'unique fenêtre, dont elle a écarté le rideau.

« Il fait noir dehors », a-t-elle constaté.

Derrière nous, devant le miroir, l'Italienne continuait de baisser les yeux et de trifouiller dans ses papiers.

« Maman ? Tu la détestes ? »

Elle a secoué lentement la tête. « Pourquoi donc ? Elle espérait les mêmes choses que moi. Et elle ne les a pas eues non plus. Leur mariage a capoté. Ton père a continué sa route. Comme je te l'ai déjà dit, il était doué pour ça. »

Elle a serré les bras comme si elle avait froid. La femme devant le miroir a enfoui son visage entre ses mains. Elle a laissé échapper un petit sanglot. Si ma mère l'a entendue, elle ne s'est pas retournée en tout cas.

« Les secrets, Charley, a-t-elle chuchoté. Ça te détruit. »

Nous sommes restés tous trois silencieusement, là, pendant une minute, chacun dans
son monde à lui. Puis ma mère s'est tournée
vers moi.

« Tu dois y aller maintenant, m'a-t-elle dit.

— Où ça ? Aller où ? Pourquoi ?

— Mais, Charley... » Elle m'a pris les mains.
« D'abord, je voudrais te demander quelque
chose. »

Ses yeux étaient baignés de larmes.

« Pourquoi tu veux mourir ? »

J'ai frissonné. L'espace d'une seconde, j'ai
été incapable de respirer.

« Tu savais ?... »

Elle m'a souri tristement.

« Je suis ta mère. »

Une convulsion m'a traversé le corps. J'ai
recraché un flot d'air. « Maman... Je ne suis
pas qui tu crois que je suis. J'ai fait des
conneries. J'ai bu. J'ai tout raté. J'ai perdu
ma famille...

— Mais non, Charley.

— Si, si, c'est vrai. » Ma voix tremblait. « Je
suis tombé dans un trou. Catherine m'a
quitté, maman. Par ma propre faute... Maria,
je ne suis même plus dans sa vie... Elle s'est
mariée... Je n'étais même pas invité à la
noce... Je suis devenu un étranger à présent...

Je suis devenu étranger à tout ce que j'aimais... »

Je haletais. « Et toi, le dernier jour... Je n'aurais jamais dû te laisser seule. Je n'ai jamais pu te dire... »

Honteux, j'ai baissé la tête.

« ... Combien j'ai honte... Je suis tellement... tellement... »

C'était tout ce que j'avais réussi à dire. Je suis tombé par terre, sanglotant toutes les larmes de mon corps sans pouvoir m'arrêter. Derrière mes yeux, la pièce n'était plus que chaleur. Je ne sais pas combien de temps je suis resté comme ça. Quand j'ai retrouvé ma voix, ce n'était plus qu'un filet.

« Je voulais que ça s'arrête, maman... Cette colère, cette culpabilité... C'est pour ça que... j'ai voulu mourir... »

J'ai levé les yeux et, pour la première fois, admis la vérité.

« J'ai abandonné, ai-je chuchoté.

– N'abandonne pas », a-t-elle chuchoté en retour.

J'ai enfoui la tête – je n'ai pas honte de le dire – dans les bras de ma mère et ses mains m'ont entouré le cou. On s'est tenus comme ça, brièvement. Mais je ne peux pas exprimer en mots le réconfort que m'a procuré ce moment-là. Je peux simplement vous dire que, à l'instant où je vous parle, ça me manque encore.

« Je n'étais pas là quand tu es morte, ai-je chuchoté.

— Tu avais des choses à faire.

— J'ai menti. Le pire mensonge de ma vie... Je n'avais aucune obligation professionnelle ce jour-là. J'ai été disputer un match... Un match ridicule... J'avais tellement envie de plaire...

— À ton père. »

Elle a hoché doucement la tête.

Et j'ai compris qu'elle était au courant depuis le début.

De l'autre côté de la pièce, l'Italienne a resserré sa robe de chambre. Et a joint les mains, comme pour une prière. On formait un trio tellement étrange, chacun de nous avait tellement souhaité à un moment ou à un autre être aimé du même homme. J'entendais encore sa voix forçant ma décision : *Le petit garçon à sa maman ou à son papa, Chick ? Qu'est-ce que tu choisis ?*

« J'ai fait le mauvais choix », ai-je dit.

Ma mère a secoué la tête.

« Un enfant ne devrait jamais avoir à choisir. »

Pour un jour de plus

L'ITALIENNE s'était levée. Elle s'est
essuyé les yeux et s'est reprise. Elle a posé les
doigts sur le bord de la coiffeuse et a rappro-
ché deux objets. Ma mère m'a fait signe
d'avancer pour que je puisse voir ce qu'elle
avait regardé.

L'un était une photo d'un jeune homme le
jour de la remise des diplômes. Je suppose
qu'il s'agissait de son fils. L'autre était ma
carte de joueur professionnel.

Elle a jeté un bref regard dans le miroir et
y a surpris nos reflets, nous trois, encadrés
comme pour un drôle de portrait de famille.
Cette fois-ci, j'étais certain qu'elle m'avait vu.

« *Perdonare* », a marmonné la femme.

Et autour de nous tout a disparu.

Chick finit son histoire

AVEZ-VOUS JAMAIS RETROUVÉ votre plus vieux souvenir d'enfance? Le mien remonte à mes trois ans. C'était l'été. Il y avait une fête foraine dans le parc près de chez nous. Avec des ballons et des stands de barbe à papa. Un groupe de gars qui venaient juste de finir un tir à la corde faisait la file devant une fontaine à eau.

Je devais avoir soif, parce que ma mère m'a soulevé en m'attrapant sous les bras et m'a porté jusqu'au début de la file. Et je me souviens comment elle y est allée franco, passant devant tous ces hommes en sueur, torse nu, et comment elle a serré un bras autour de ma poitrine et s'est servie de sa main libre pour tourner le bouton. Elle a chuchoté dans mon oreille : « Bois l'eau, Charley. » Je me suis penché en avant, mes pieds ne touchant pas le sol, j'ai lapé, et tous ces hommes ont simplement attendu qu'on ait fini. Je sens encore son bras autour de moi. Je revois l'eau faisant des bulles. C'est mon plus vieux souvenir, mère et fils, le monde nous appartenait.

Et maintenant, à la fin de cette dernière journée avec ma mère, la même chose semblait se reproduire. Mon corps me faisait l'impression d'être brisé. Difficile de le bouger. Mais son bras s'est posé en travers de mon torse et j'ai senti qu'elle me portait cette fois encore, que de l'air m'effleurait le visage. Je n'ai vu que de l'obscurité, comme si l'on voyageait derrière un rideau. Puis elle a disparu pour faire place à des étoiles. Des milliers d'étoiles. Elle m'a étendu sur l'herbe mouillée, rendant au monde mon âme en lambeaux.

« Maman... » Ma gorge était écorchée. J'ai dû déglutir entre les mots. « Cette femme ? ... Qu'est-ce qu'elle a dit ? »

Elle a posé les mains sur mes épaules. « Pardonner. »

– À qui ? À elle, à papa ? »

Ma tête qui est retombée sur le sol. J'ai senti du sang humide goutter le long de mes tempes. Elle a passé une main sur mon front avec douceur.

« À toi-même », m'a-t-elle répondu.

Mon corps se bloquait. Impossible de bouger bras ou jambes. Je glissais.

« Oui », ai-je fait d'une voix éraillée.

Elle avait l'air perplexe.

« Oui, tu as été une bonne mère. »

Elle a porté la main à sa bouche pour cacher un sourire. Après, elle a agité les doigts en guise d'au revoir.

« Vis, m'a-t-elle dit.

– Non, attends...

– Je t'aime, Charley. »

Je pleurais à gros sanglots.

« Je vais te perdre... »

Son visage semblait flotter au-dessus du mien.

« On ne peut pas perdre sa mère, Charley, je suis tout près. »

Puis un énorme éclair lumineux a effacé son image.

« CHARLES BENETTO ! EST-CE QUE VOUS M'ENTENDEZ ? »

J'ai senti un chatouillement dans mes membres.

« ON VA VOUS BOUGER MAINTE-NANT. »

Je voulais l'agripper, la retenir.

« EST-CE QUE VOUS ÊTES AVEC NOUS, CHARLES ?

– Moi et ma mère », ai-je marmonné.

J'ai senti un doux baiser sur mon front.

« Ma mère et moi », a-t-elle corrigé.

Puis je me suis retrouvé seul.

J'AI CLIGNÉ DES YEUX à plusieurs reprises. J'ai vu le ciel. Et les étoiles. Qui se sont mises à tomber. Plus elles s'approchaient et plus elles étaient grandes, rondes et blanches, on aurait dit des balles de baseball ; alors instinctivement j'ai ouvert les paumes comme si j'ouvrais mon gant au maximum pour les attraper.

« ATTENDEZ. REGARDEZ SES MAINS ! »

La voix s'est radoucie.

« CHARLES ? »

Encore plus doucement.

« Charles... ? Hé, nous y voilà, mon gars. Revenez... EH ! LES MECS ! »

Il a agité sa torche en direction de deux autres officiers de police. Il était jeune, ainsi que je me l'étais imaginé.

Les dernières pensées de Chick

ET MAINTENANT, COMME JE VOUS L'AI DIT au début, je ne m'attends pas à ce que vous me compreniez. Je n'ai jamais raconté cette histoire à personne, mais j'espérais une occasion. Celle-là en l'occurrence. Et maintenant que c'est fait, je suis content qu'elle se soit présentée.

Autant j'ai pu oublier des tas de choses dans ma vie, autant je me souviens de chaque moment de cette journée passée avec ma mère, des gens que l'on a vus comme de ce que l'on a échangé. C'était tellement ordinaire de tant de manières, mais, comme elle l'avait déjà dit, on peut découvrir quelque chose de vraiment important en un rien de temps. Vous me trouverez peut-être fou, vous penserez que j'ai tout inventé. Mais je crois en ceci au plus profond de mon âme : ma mère, quelque part entre ce monde-ci et l'autre, m'a offert un jour de plus, celui dont j'avais tellement envie, et m'a raconté tout ce que je vous ai rapporté.

Et si ma mère l'a dit, c'est que c'est vrai.

« C'est quoi, un écho ? m'avait-elle demandé un jour.

– *La persistance du son alors que la source n'existe plus.*

– Quand peut-on entendre un écho ?

– *Quand il n'y a pas de bruit et que les autres sons sont absorbés.* »

Quand tout est tranquille, j'entends encore son écho à elle.

Je me sentais honteux à présent d'avoir tenté de me suicider. La vie est un bien tellement précieux. Je n'avais personne à qui parler pour m'aider à sortir du désespoir, ce qui était regrettable. Il faut avoir des proches. Et qu'ils aient accès à votre cœur.

Quant à ce qui s'est passé durant les deux années qui ont suivi, les détails ne manquent pas, entre le séjour à l'hôpital, le traitement administré et les endroits où j'ai traîné. Disons simplement que j'ai eu de la chance à plusieurs niveaux. Je suis vivant. Je n'ai finalement tué personne. Je ne bois plus depuis, bien que certains jours soient plus difficiles que d'autres.

J'ai beaucoup repensé à cette nuit. Et je crois fermement que ma mère m'a sauvé la vie. Je crois aussi que les parents, s'ils vous aiment, vous mettront toujours à l'abri, loin de leurs propres tumultes, ce qui parfois voudra dire que vous ne saurez jamais ce qu'ils ont enduré ; il est même possible que vous les traitiez méchamment, alors que si vous aviez su vous les auriez traités autrement.

Mais derrière chaque détail se cache une histoire. Celle qui fait qu'une peinture s'est retrouvée sur un mur, ou une cicatrice sur un visage. Parfois, les histoires sont simples, et parfois, elles sont dures et vous brisent le cœur. Mais derrière toutes vos histoires, il y aura toujours celle de votre mère, parce que c'est tout bonnement avec la sienne que la vôtre commence.

Et donc ceci était l'histoire de ma mère.

Ainsi que la mienne.

J'aimerais rectifier le tir avec ceux que j'aime.

À la fin

CHARLES « CHICK » BENETTO est mort le mois dernier, cinq années après sa tentative de suicide, trois années après notre rencontre ce samedi matin-là.

L'enterrement a eu lieu dans l'intimité, juste quelques membres de la famille – dont son ex-femme – et plusieurs amis d'enfance de Pepperville Beach qui se souvenaient d'avoir grimpé en haut du château d'eau avec Chick et d'avoir peint leurs prénoms à la bombe sur le réservoir. Personne de l'époque où il jouait au base-ball n'était là, bien que l'équipe des Pirates ait envoyé une carte de condoléances.

Son père était là, par contre. Un grand homme aux épaules voûtées et aux fins cheveux blancs qui s'est planté au fond de l'église. Vêtu d'un costume marron et le nez chaussé de lunettes de soleil, il a filé très vite après le cimetière.

C'est une hémorragie cérébrale qui a emporté Chick, une embolie qui est montée au cerveau et l'a tué pratiquement sur le coup. D'après les docteurs, le traumatisme cérébral subi lors de l'accident avait dû fragiliser ses vaisseaux sanguins. Mais impossible d'en être sûr. Il est mort à cinquante-huit ans. Trop jeune, tout le monde était d'accord là-dessus.

Quant aux détails de son « histoire »... Au cours de la rédaction de ce récit, je les ai tous vérifiés. Il y avait effectivement eu un accident sur la bretelle d'entrée de l'autoroute ce soir-là, et, après avoir percuté l'avant d'un poids lourd, une voiture est passée au-dessus d'un talus et a détruit un panneau publicitaire puis éjecté son conducteur sur l'herbe.

Il avait effectivement existé une veuve du nom de Rose Templeton, qui habitait Lehigh Street à Pepperville Beach et qui est morte peu après l'accident. Avait également existé une Mlle Thelma Bradley, décédée quelque temps ensuite, et que l'avis de décès imprimé dans le journal local qualifiait de « domestique à la retraite ».

Une année après que les Benetto avaient divorcé, une union a bien été célébrée en

1962 – entre un Leonardo Benetto et une Gianna Tusicci –, confirmant un précédent mariage en Italie. Un Leo Tusicci, leur fils semblerait-il, était repris sur la liste des élèves de la Collingswood High School au début des années 1960. Pas d'autres traces de lui ensuite.

Et Pauline « Posey » Benetto ? Elle est effectivement morte d'une crise cardiaque à soixante-dix-neuf ans et les détails glanés sur sa vie correspondent en tous points à ceux racontés dans ces pages. Des membres de sa famille ont confirmé son humour, sa chaleur maternelle ainsi que sa sagesse. Sa photo est toujours accrochée au salon où elle a tra- vaillé. Dessus, elle porte une blouse bleue et des créoles.

Les dernières années de Chick Benetto ont semblé lui apporter quelque satisfaction. Il a vendu la maison de sa mère à Pepperville Beach et en a reversé la somme à sa fille. Par la suite, il a déménagé dans un appartement pour être près d'elle et ils ont renoué un lien, dont des « courses aux *doughnuts* » le samedi matin, durant lesquelles ils se repassaient les événements de la semaine autour d'un café accompagné de beignets. Bien que ce ne soit jamais redevenu comme avant avec Catherine

Benetto, tous deux avaient fait la paix et se parlaient régulièrement. Chick n'a plus travaillé comme vendeur mais a trouvé un mi-temps dans un parc d'attractions, où il avait imposé une règle stricte concernant les jeux organisés : tout le monde est obligé de jouer !

Une semaine avant son hémorragie, il semblait sentir que le temps lui était compté. Il a dit à ses proches : « Souvenez-vous de moi pour mes derniers jours, pas ceux d'avant. »

Il a été enterré près de sa mère.

PARCE QU'IL Y AVAIT un fantôme dans l'histoire, vous risquez d'en déduire que ceci est une histoire de fantômes. Mais quelle famille n'est pas une histoire de fantômes ? C'est en partageant les récits de ceux que nous avons perdus que nous évitons de vraiment les perdre.

Et bien que Chick ait à présent disparu, son histoire coule à travers les autres. Et à travers moi. Je ne le crois pas fou. Je pense vraiment qu'il a partagé ce fameux jour de plus avec sa mère. Et un jour passé avec quelqu'un que vous aimez peut changer votre vie.

Je le sais. J'ai eu un jour de ce genre moi aussi – sur les gradins d'un terrain de base-ball –, un jour pour écouter, aimer, s'excuser, pardonner. Et pour décider, des années plus tard, que le petit garçon dans mon ventre portera bientôt fièrement le prénom de Charley.

Je m'appelle Maria Lang.

Mais avant, je m'appelais Maria Benetto.

Chick Benetto était mon père.

Et si mon père l'a dit, c'est que c'est vrai.

Remerciements

L'auteur aimerait remercier Leslie Wells et Will Schwalbe pour leur relecture critique ; Bob Miller pour sa patience et sa foi en moi ; Ellen Archer, Jane Comins, Katie Wainright, Christine Ragasa, SallyAnne McCartin, Sarah Schaffer et Maha Khalil pour leur soutien inébranlable ; Phil Rose pour son grand art ; et Miriam Wenger et David Lott pour leurs yeux de lynx.

Remerciements tout spéciaux à Kerri Alexander, qui s'occupe toujours de tout ; à David Black, qui m'a soutenu avec un nombre incalculable de plats à base de poulet ; et surtout à Janine qui a entendu cette histoire le matin, au calme, l'a lue à voix haute, et lui a offert son premier sourire. Et puis bien sûr, puisqu'il s'agit d'une histoire sur la famille, je la dédie à la mienne, à ceux qui m'ont précédé, à ceux qui me suivront, et à tous ceux qui m'entourent.

Remerciements de la traductrice

Édith Soonckindt aimerait dédier son travail à ses parents pour leurs propres mères, toujours si vivantes, et encore et toujours regrettées ; à Suzy Cohen et Joëlle Riley pour les leurs, ainsi qu'à Bekir et Étienne pour ces mêmes raisons, mais aussi les autres... ; à Aziz Lachiri pour sa maman qu'il aime tant, et aussi une bien tendre année ; à Sarah Seplon et Dylan en souvenir d'une mort douloureuse que ce livre, comme le précédent Mitch Albom, aidera peut-être à apaiser ; à L.G. que l'alcool, à cinquante-cinq ans, a pratiquement fini d'achever ; à la mémoire d'Aldo qui... ; à tous ces hommes, et ces femmes, qui s'abîment ; et à celles et ceux qui ont perdu trop vite celles et ceux auxquels ils étaient tellement attachés. Puisse ce livre, religieusement traduit dans ce seul but, les aider.

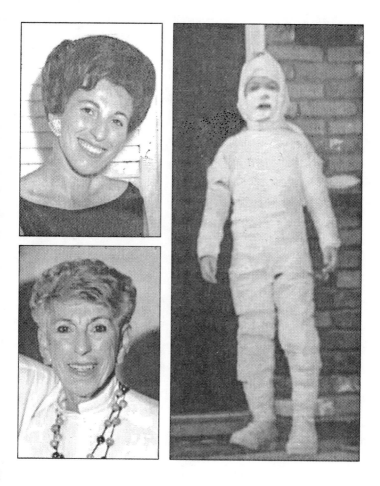

Le livre est dédié, avec tout mon amour,
à Rhoda Albom, la maman de la maman.

Table

Table

Cet ouvrage a été composé et imprimé par

FIRMIN DIDOT

GROUPE CPI

Mesnil-sur-l'Estrée

en septembre 2006

Dépôt légal : octobre 2006
N° d'édition : 274/01 – N° d'impression : 81127
Imprimé en France